MARC CHAGALL

Œuvres sur papier

30 juin - 8 octobre 1984

Centre Georges Pompidou · Musée national d'art moderne

Commissaire général : Dominique Bozo

Commissaires de l'exposition : Pierre Provoyeur, Henri de Cazals
Assistante : Marthe Ridart
Secrétariat : Ghislaine Gillet, Anne-Marie Héricourt, Geneviève Poisson

Architectes : Katia Lafitte assistée de Jacques Loupias
Régie des œuvres : Elisabeth Galloy, Catherine Duruel

Itinérance de l'exposition : Martine Silie, Claire Blanchon

Catalogue :

Maquette : Jean-Pierre Vespérini
Fabrication : Bernadette Lorie

Secrétariat de rédaction : Annick Jean

En couverture : *Chagall*, 1918,
collection de l'artiste

© Centre Georges Pompidou, Paris 1984
ISBN 2-85850-256-0
N° éditeur : 405

Dépôt légal : juin 1984

Remerciements

Nous tenons à exprimer toute notre gratitude aux collectionneurs et aux musées qui, par les prêts qu'ils nous ont consentis et les conseils qu'ils ont bien voulu nous donner, ont permis la réalisation de cette exposition :

Monsieur et Madame Marc Chagall, Saint-Paul-de-Vence
Madame Ida Chagall, Paris

Monsieur Marcus Diener, Bâle
Monsieur et Madame Hans S. Edersheim, New York
Monsieur et Madame Leonard E. Greenberg, West Hartford
Monsieur Milton B. Katz, Milwaukee
Monsieur Eberhard W. Kornfeld, Berne
Monsieur Guy Loudmer, Paris
Monsieur et Madame Gerhard E. Pinkus, Los Angeles
Monsieur et Madame Vladimir Pozner, Paris
Madame Helen Serger, New York
Le Baron Thyssen Bornemisza, Lugano
et les prêteurs qui ont préféré garder l'anonymat

The Israël Museum, Jérusalem
The Los Angeles County Museum of Art, Los Angeles
Le Musée National Message Biblique Marc Chagall, Nice
The Museum of Modern Art, New York
The Solomon R. Guggenheim Museum, New York

Nous remercions également les personnes qui, à des titres divers, ont contribué à nos recherches ou favorisé le bon déroulement de ce travail :

Madame Miriam Cendrars, Paris

Monsieur Franz Meyer, Bâle

Monsieur Jean Leymarie, Rome
Monsieur Michel Pélissier, Rome

Monsieur John Elderfield, New York
Madame Sylvie Forestier, Nice
Monsieur Thomas Messer, New York
Monsieur Simon de Pury, Lugano
Monsieur Maurice Tuchman, Los Angeles
Monsieur Martin Weyl, Jérusalem

Madame Ruth Apter-Gabriel, Jérusalem
Madame Maria-Teresa de Bellis, Rome

Mademoiselle Martine Bernardet, Nice
Monsieur Guy Cogeval, Rome
Monsieur Gérald Cramer, Genève
Monsieur Christian Derouet, Paris
Monsieur Ralph Dutli, Paris
Monsieur Dominique Escribe, Nice
Madame Ebria Feinblatt, Los Angeles
Monsieur Patrick Gérin, Nice
Mademoiselle Roseline Giusti, Nice
Monsieur E. Ilin, Haïfa
Monsieur Philippe Jaccottet, Grignan
Monsieur Antoine Jaccottet, Paris
Mademoiselle Annie Jacques, Paris
Madame Béatrice Kernan, New York
Monsieur Daniel Lelong, Paris
Monsieur Klaus G. Perls, New York
Monsieur Jean-Louis Prat, Saint-Paul-de-Vence
Madame Angela Rosengart, Lucerne
Madame Eleanore Saidenberg, New York
Madame Susan Seidel, New York
Madame Mylène Sinor, Nice
Madame Diane Waldman, New York

Nos remerciements s'adressent encore aux Sociétés d'Affichage et Publicité : Metrobus, France-Rail, Dauphin, Avenir-Publicité, Giraudy, Groupement des Afficheurs parisiens, Lefevre S.A., Aéroports Publicité, Ledermann Guironnet et Associés, Marignan Publicité, Publia et S. Régies

Sommaire

A un dessin de Marc Chagall · Poème 28

Kurt Schwitters

An eine Zeichnung Marc Chagalls · Gedicht 28

Spielkarte leiert Fisch, der Kopf im Fenster.
Der Tierkopf giert die Flasche.
Am Hüpfemund.
Mann ohne Kopf.
Hand wedelt saure Messer.
Spielkarte Fisch verschwenden Knödel Flasche.
Und eine Tischschublade.
Blöde.
Und innig rundet Knopf am Tisch.
Fisch drückt den Tisch, der Magen übelt Schwerterstrich.
Ein Säuferstiel augt dumm das klage Tier,
Die Augen lechzen sehr den Duft der Flasche.

Tiré de : *Anna Blume*, Dichtungen, Paul Steegemann Verlag, Hannover, 1919.

La carte à jouer psalmodie le poisson, la tête dans la fenêtre.
La tête d'animal boit des yeux la bouteille.
Bouche-qui-sautille.
Homme sans tête.
La main évente d'aigres couteaux.
La carte à jouer le poisson prodiguent boulettes et bouteille.
Et un tiroir de table.
Incapable.
Ardemment s'arrondit le bouton de la table.
Le poisson serre la table, l'estomac nauséabonde en traits d'épée.
Un manche de pochard zieute bêtement l'animal plainte,
Les yeux soupirent pour le parfum de la bouteille.

Traduction / adaptation de Ralph Dutli et Antoine Jaccottet.

Le Saoul, 1913

Préface

Dominique Bozo

Il y a une dizaine d'années, j'avais le privilège de voir chez Ida Chagall un superbe ensemble de dessins de son père qui retinrent mon attention enthousiaste. Les dessins de Marc Chagall sont peu connus, bien que reproduits dans les nombreux livres consacrés à son œuvre. Le contact du grand public avec l'œuvre sur papier de Chagall est toujours demeuré limité et d'une manière par trop anecdotique et non dans sa grande diversité riche et fécondante, qu'il s'agisse de grandes expositions internationales ou d'événements liés à l'un des livres que Chagall a illustrés.

C'est ainsi que les deux grandes expositions rétrospectives de 1959 au Musée des Arts décoratifs ou de 1969 au Grand Palais ont ignoré ou insuffisamment mis en valeur la liberté, la cohérence rationnelle qui existe entre les tableaux et les dessins du peintre.

Cet ensemble couvrait essentiellement la deuxième décennie du siècle, de 1914 à 1923, date à laquelle Marc Chagall est rentré à Paris en s'arrêtant à Berlin. L'importance de ces dessins est extrême et nous avons toujours depuis espéré pouvoir consacrer à l'œuvre sur papier du peintre une exposition digne de ce que le grand public connaît le mieux : son admirable invention picturale.

Les dessins de Chagall éclairent d'une lumière exceptionnelle son œuvre de ses débuts à nos jours où les formes pointillistes deviennent une sorte de miracle de constellations atomisées. Ce qui est plus important, à mon sens, c'est que ces dessins ont une parfaite autonomie visuelle, comparable à celle des plus grands maîtres de la peinture, et pas seulement du vingtième siècle. L'esprit, l'essence du peintre se retrouvent dans ces quelque deux cents feuilles que nous exposons : une histoire personnelle, la vie, le village et la famille de Chagall et le très grand moment du théâtre juif, capital par rapport au dessin du vingtième siècle et à l'histoire du théâtre.

Cette exposition nous place, et le grand public pour la première fois, devant le langage du dessin : sa force, sa liberté et son appui pour une œuvre d'un maître de ce siècle, prophète et poète, qui porte en lui la simplicité exemplaire du noir et du blanc, du trait, des aplats extrêmes du dépouillement où le volume est approché par la concision, le contraste essentiel de l'encre sur le papier, esquisses pour certains mais plus certainement liberté affranchie de toutes les règles et de tout académisme, excès et simplicité maîtrisés. La plume, le crayon, le pinceau ! On voudrait évoquer la grâce de peindre ; en réalité, nous sommes au seuil de la modestie et du refus absolu de l'esthétique. Il s'agit, sous les formes les plus diverses, d'une même expérience continue, vitale, qui nous apparaît d'une jeunesse d'esprit sans égale au cœur même de la plus ancienne des traditions puisqu'elle remonte aux peintres lettrés de la Chine taoïste. Chaque dessin présenté ici doit être regardé dans la seule perspective de sa singularité. Il nous renseigne sur un moment de sa peinture — fauve, cubiste, lyrique, jamais simplement abstrait, mais allusif et irrationnel.

Que cette exposition coïncide avec le 97e anniversaire du maître et la rétrospective de l'œuvre peint qui marque la 20e année de la Fondation Maeght à Saint-Paul-de-Vence, voilà bien une occasion rare de nous réjouir et de saluer un maître de l'art du XXe siècle dont l'œuvre, paradoxalement, n'est pas suffisamment connue dans son ampleur réelle et singulière, son invention quasi magique de l'arbitraire justifié et du naturel le plus sponta-nément recréé par le travail, la nécessité intérieure et la conscience d'être.

Je voudrais dire ici ma gratitude à Marc et Valentina Chagall pour leur accueil amical dans leur maison de Saint-Paul-de-Vence où nous fûmes si souvent reçus, Pierre Provoyeur et moi-même, pour préparer cette exposition avec chaque fois la même chaleureuse compréhension.

Qu'Ida Chagall, l'amie et complice de toujours, trouve également ici l'expression de notre vive gratitude pour son aide nécessaire et sans réserve.

Les lois de l'apesanteur

Claude Esteban

I

Qu'attendent-ils, qu'espèrent-ils, ces petits personnages pressés les uns contre les autres, ballottés dans leurs gambades un peu gauches entre les lignes du plancher et la lampe immobile qui les surplombe ? Peut-être, oui, que les murs rencognés s'écartent, que la table et la chaise et les bouteilles sagement posées participent à leur tour de la fête ; que la porte vole en éclats et qu'un grand flot d'espace s'invite incongrûment à la farandole, soulevant les jupons des femmes, décoiffant la jeune épousée. Chagall n'a pas vingt ans, et sa main déjà s'impatiente ici, parmi d'autres dessins, à saisir seulement ce que l'œil enregistre, ou ce qu'un savoir dont il n'a pas souci lui commande de représenter sur la page blanche. Et c'est bientôt, après cette esquisse du *Bal*, et dès le *Violoniste assis* de 1908, une sorte de fureur joyeuse qui le prend, un désir fou de donner le branle à cet univers des aspects dont la familiarité même et le pittoresque dissimulent en vérité, sous le masque du quotidien, un pouvoir insoupçonné de surprise, une énergie sans fin, un capital de rêves et d'images. Il ne cessera plus d'y recourir avec une ténacité, avec une certitude de cœur étonnante, mais aussi, car tel est le paradoxe du peintre, par le biais d'une intelligence intuitive qui s'invente pour soi seule et ses normes et les pratiques de son art.

N'en doutons pas : si les silhouettes aériennes du *Cirque* — ce lavis brossé trois quarts de siècle plus tard — s'échappent et s'enchantent au gré du souffle ; si les moujiks maladroits se sont mués en clowns, en écuyers, en équilibristes ; si le coq picore dans le ciel et l'âne gambade sur la prairie des nuages, il faut y voir moins le caprice d'un esprit joueur, incorrigiblement juvénile, que sans doute, au terme d'une existence toute vouée à l'élucidation de sa recherche, la résultante plastique d'un questionnement toujours insatisfait des réponses qu'il s'accorde, qu'il reprend, qu'il repousse. On a beaucoup parlé, avec raison peut-être, de l'ingénuité de Chagall, de ce génie inventif, primesautier, allègre, dont il serait le théâtre bien plus que le maître et qui lui aurait dicté, sa vie durant, sans l'apport d'une discipline, ces belles séries d'enluminures émouvantes. Chagall lui-même, plus fine mouche que certains de ses exégètes, s'est plu — parfois — à conforter une telle imagerie d'Epinal... Maintenant que cette œuvre, par son ampleur, ses scansions, ses ruptures mêmes et ses retours, compose sous nos yeux comme un grand paysage aux étagements successifs, je crois que le moment est venu d'apprécier

et de pondérer mieux ce qui ressortit, en effet, chez Chagall à une idiosyncrasie singulière — en l'occurrence, cette capacité dite enfantine d'émerveillement —, et la part de son expression qui relève d'un travail, oserai-je dire d'une méthode, d'une conduite de représentation formelle qu'il nous est possible de suivre par le jalonnement de quelques peintures capitales, mais davantage encore, et presque pas à pas, par le truchement des dessins, des aquarelles et des gouaches qui leur font écho.

J'aimerais ainsi m'attarder, ne serait-ce qu'un instant, sur une toile présente à toutes les mémoires, et contemporaine des premières ébauches de Vitebsk, *Le Mort*. Certes, elle a donné lieu, depuis plus de cinquante ans, à bien des lectures et je ne prétends point, par celle que je veux tenter, y apporter des éléments très neufs. Je la crois cependant, cette peinture admirable, susceptible de nous livrer quelques enseignements, de nous fournir aussi certaines directives sur le chemin que je tente de préciser. Disons d'abord — et le détail a son importance — que le tableau de 1908 a été précédé par une étude au moins, qui révèle assez clairement la préparation ou plutôt la mise en place des données de la scène à laquelle s'est astreint Chagall, avant d'exécuter, sans repentirs apparents, la toile elle-même. Tout, ici, aurait dû signifier la fatalité et la fixité de l'inerte. Le linceul, longue traînée de roux, avec la tête exsangue, les jambes couleur de sel, et les six cierges fixes, comme fichés dans le sol, lueur d'un au-delà distant, flamme incertaine et pauvre. Le village alentour, isbas muettes, venelles renfrognées, regards avares des fenêtres. Un homme court, s'engouffre ailleurs, le corps happé. Plus haut, dans le ciel vaguement jaune, des meurtrissures plus que des nuées, livides, sèches. Mais quelque chose, aussi, vient contredire la liturgie funèbre, violentant l'espace clos des hommes et son rituel. Le mort gît dans la rue, chambre trop vaste où la rigidité n'a plus de sens, où le sommeil définitif se cherche en vain et s'exaspère. Une femme, sans trop savoir pourquoi, fuit le confinement, et lance, de ses deux bras levés, sa plainte verte contre l'irrémédiable. De ses pieds nus, elle touche la terre, mais le cri de ses mains déchire l'air, s'inscrit en faux — en clair — sur l'opacité vergogneuse des masures. Et surtout, en plein vent, avec l'opiniâtreté aveugle ou clairvoyante de celui qui surmonte le vide, un musicien saugrenu, à cheval sur un toit, figure dégingandée, absurde contre l'immobile, s'escrime à jouer du violon — silhouette quasiment découpée dans le bois des cahutes, mais plus vive de se vouloir, par-delà la mort, témoin et précurseur d'une mélodie que, tout en bas, la plainte et la douleur refusent. Ai-je tort d'y découvrir comme une allégorie, morale et picturale à la fois, de l'œuvre ultérieure de Chagall ? La réalité du moment, informe, inachevée, souvent terrible ; la passion, divertie de ses premiers élans, arc-boutée sur son désir défunt, déjà captive de la tombe. Mais sur l'autre versant du jour, aventureuse, provocante, infondée aux yeux des hommes infidèles, la promesse d'une musique qui déconcerte l'ordre naturel des choses, qui chante dans le lieu des larmes, qui bouleverse de son contrepoint zénithal les catégories notionnelles de l'en-haut et de l'en-bas, du dedans et du dehors, de l'éphémère et de l'indéfini.

II

Non, je ne crois pas à une ingénuité de Chagall, si l'on entend par là je ne sais quelle simplicité un peu fruste du sentiment qui l'eût forcé, au détriment de sa volonté lucide, à quelque expressivité immature, fruit naturel, encore que bien rare, d'un passé collectif et d'une oblitération de l'entendement. Je n'en veux pour preuve que la série des œuvres — huiles et gouaches, encres et crayons aussi bien — qui datent de son premier séjour en France. L'étude en a été menée, on le devine, par d'autres plus informés que moi et je ne puis que souscrire, ici et là, à leurs analyses très minutieuses. Ce qui ne cesse toutefois de m'étonner, en dépit des argumentations contraires, c'est assurément la continuité et la cohérence du projet plastique chez Chagall, alors même que le jeune peintre de Vitebsk se trouvait confronté, sans transition ni médiation aucune, à un bouleversement intellectuel, à une remise en cause tant esthétique que morale des vieux principes de la représentation, véritable révolution du regard, selon les termes d'Apollinaire, et dont Chagall ignorait presque tout. Les toiles peintes à Paris, plus que les dessins et les gouaches de cette même période, traduisent bien la fascination conjuguée qu'exercent sur l'artiste et les débordements chromatiques des fauves et les leçons de sévérité que prononcent et promeuvent les cubistes. Emerveillement dont Chagall n'a pas fait mystère ; désorientement aussi, qui se manifeste au début par quelques œuvres composites où le peintre travaille à concilier les contraires, au détriment, dirait-on, de son impétuosité originelle. Mais très vite Chagall se reprend ou, plutôt, il n'emprunte aux pratiques et aux postulats picturaux qui s'offrent à lui que cela seulement qui vient confirmer et enrichir son intuition et sa captation du sensible. Je songe, par exemple, à une toile de 1911, *Soleil et Tour Eiffel*, quasiment contemporaine de la *Tour Eiffel* de Robert Delaunay, et que l'on pourrait apparemment inscrire dans son sillage. Certes, Chagall, à l'instar du français, s'attache à la poétique de la tour moderne, aux signes de métal qui la dessinent et la structurent, mais tandis que Delaunay nous livre, au terme, une sorte de ballet mécanique du paysage — coudoiements et cassures, arêtes et ressauts d'une verticalité retranscrite conformément aux injonctions de l'intellect —, Chagall, pour sa part, recentre la ville autour d'un point focal à partir duquel les éléments disparates ou divergents de l'architecture se distribuent en rythmes circulaires. Une rotation s'institue, un échange, une continuité savoureuse entre les substances, les reliefs, les formes — ciel impalpable, sémaphores, poutrelles —, et devant

la tour tutélaire, dressée sur l'horizon telle une girafe, voici que vient surgir un petit attelage russe, avec son cheval pensif contemplant la ville qui tourne.

Ce que Chagall a retenu, et pour toujours, de l'impeccable démonstration cubiste, ce n'est point l'idéalisme qui la gouverne, mais la volonté de construction à laquelle l'espace pictural s'est assujetti derechef après les explosions et les poudroiements sensoriels de l'impressionnisme. Non que Chagall sacrifie désormais à quelque culte très latin de la *cosa mentale*. La peinture ne cessera jamais d'être pour lui une vision et une version personnelle du monde selon les mandements de la passion. Il importe toutefois que cette liberté, que cette hardiesse ludique, comme le saut du trapéziste, comme le parcours oscillant du funambule, prenne appui, pour s'exalter mieux, sur tout un appareil de poutres et de filins, de disciplines et de maîtrises. L'envol de l'imaginaire exige de celui qui en fait son destin d'homme et d'artiste une sorte de jeu subtil au-dessus de la géométrie, mais en accord secret avec elle. C'est la raison, sans nul doute, de ces toiles et de ces dessins qui vont naître à Paris, et dont l'épanouissement se poursuivra en Russie, puis de nouveau en France — images toujours plus déchiffrables où la matérialité, où la massivité du réel, concertée et recomposée par la rythmique des lignes, est traversée par un appel de l'en-haut, requise par des forces légères qui contrecarrent, quand elles ne la récusent pas, l'économie plus calme des figures. Telle cette effigie d'un individu à la tête posée de guingois, et bientôt à l'envers sur le torse immobile, que l'on retrouvera à tant de reprises dans les toiles et dans toute une suite de dessins. Là encore — et c'est le droit de chacun — on peut invoquer la seule fantaisie de Chagall et le caprice un peu farceur de l'illusionniste. Je crois qu'il faut aller plus loin, et plus sérieusement, dans l'interprétation de figures longtemps dominantes, et qui, par l'insistance même de leur retour chez le peintre, déclarent mieux qu'un simple divertissement de l'esprit. Voici la toile du *Poète*, datée de 1911, toute soumise, semble-t-il, aux schèmes distributifs de l'espace cubiste. Diagonales et losanges, parallèles et perpendiculaires fomentent par leur discours anguleux le corps d'un homme, la table, la feuille de papier où se pose le crayon rectiligne. Tout un échafaudage de plans nets — surfaces sectionnées, frontières franches — dont l'agressivité s'accuse davantage encore par le rude cloisonnement des couleurs — blanc, rouge, bleu — sans rien qui rappelle à l'œil la palette flamboyante de naguère. Nul répit pour le regard, nulle sollicitude pour les sens, mais soudain, vers le haut, ce paquet de cigarettes s'arrachant à la masse quadrangulaire qui l'opprime pour tendre son effort, absurdement, passionnément, vers une bouche qui lui échappera toujours. Car la tête de l'homme assis ne collabore plus — y avait-elle songé parfois ? — à ce règne insistant de la géométrie. Elle ne contredit pas uniquement les lois du monde physique, insoucieuse du naturel dans sa relation inversée au corps ; elle transgresse surtout la règle morale et les interdits intellectuels auxquels le tableau feignait de se soumettre. Ronde et rieuse dans l'angulosité qu'elle surmonte, intempestive de couleur verte sur le fond gris, elle en appelle à quelque ordre différent, elle profère une vérité moins visible, elle désigne, plus haut, par-delà les marges que la conscience lui inflige, une contrée où chaque tête humaine, si elle consent à sacrifier de son équilibre élémentaire, s'élancera à la poursuite du soleil.

III

On peut, dès lors, comprendre le reproche, apparemment paradoxal, que Chagall n'a pas manqué d'adresser au cubisme, celui de s'en être tenu à une formulation trop « réaliste » des choses. Et il est vrai — nous commençons enfin à nous en convaincre — que le peintre cubiste ne s'applique à rien d'autre qu'à une description tout analytique des aspects. Il ne met point en doute l'apparence ; il la veut déployée, explicitée dans son dehors par les mille recours d'une planimétrie méticuleuse. Pas d'énigme au départ, pas de mystère au terme de son investigation, de sa conquête méthodique. Le monde clair, le monde intact, lisse, recomposé, adéquat à l'esprit du jour, sans ombre, sans versant nocturne. Chagall n'a pu souscrire à de tels principes, ni se laisser emporter, fût-ce même le temps d'une griserie, par de telles certitudes conceptuelles. Pas plus que ne sauront le séduire les sortilèges d'une abstraction géométrique, celle des suprématistes, moins délivrée qu'elle ne l'a prétendu de l'intangibilité idéelle des figures. Car même un triangle — Chagall le remarquait non sans humour — peut, en définitive, être aussi « réaliste » qu'une chaise ou n'importe quel objet issu de l'univers naturel, dès lors qu'on s'applique à le représenter, donc à le reproduire, avec une fidélité purement optique. Ce à quoi aspire Chagall, ce n'est point à une restructuration plus intentionnelle des éléments du visible — pas davantage, ainsi qu'on a voulu l'affirmer parfois, à la formulation anarchique ou arbitraire de la rêverie ; il vise à l'élaboration d'un nouvel espace psychique où trouveraient place et dialogueraient ensemble les différents registres de l'expérience subjective : sensibilité, intelligence de l'immédiat, imaginaire. Si la représentation plastique, telle que Chagall l'instaure au cours de ces années capitales, se pose d'abord comme un désaveu des hypothèses rationnelles auxquelles les cubistes demeurent attachés, elle n'en obéit pas moins à une logique très particulière, à une syntaxe des signes plus stricte qu'on ne le pense, aux modalités d'un langage dont il est seul à détenir les clés.

Certains s'étonneront, peut-être, que je définisse en ces termes une expression picturale qui séduit d'abord le spectateur par une manière d'insouciance heureuse, un plaisir de l'image que rien ne semble réprimer. Toute l'adresse de Chagall, et je dirai même son talent un peu retors de prestidigitateur, réside, en effet, dans ces merveilleux tours de passe-passe qui escamotent sous nos yeux, et à chaque nouvelle séance, le lent labeur préalable à l'éclosion de la fantaisie. Que l'on s'arrête, par exemple, sur telle esquisse préparatoire de *L'Homme saoul*, appartenant au cycle de la première période parisienne. La tête ici, s'est enfin séparée du corps. Comme sectionnée, elle gravite dans l'étendue de la page, tandis qu'une bouteille, devenue plus audacieuse, l'accompagne désormais dans sa ronde. Plus bas, c'est une chaise qui s'essaye aux délices de la lévitation. Rien de plus spontané, effectivement, que cette mise en scène narquoise de l'ivresse ; rien de plus étudié, toutefois, que cette configuration des objets dans l'espace ingravide. Les deux versions que Chagall a conservées de l'œuvre nous permettraient de pressentir déjà le travail très conscient du peintre, si une confidence ne nous éclairait davantage encore : « C'est ma couleur — précise Chagall — qui a rendu nécessaires la chaise de travers et la tête coupée ».

L'illogisme flagrant de la représentation visuelle, instantanément perceptible, et que l'on souhaiterait, par habitude ou confort intellectuel, attribuer à quelque beau délire de l'imagination chagallienne, cette invraisemblance affichée de la figure répond, en fait, à une nécessité picturale plus impérieuse que la rêverie, dictant, imposant à celle-ci les modes de son devenir et les formes de son surgissement chromatique. Qu'une vache vienne paître dans la maison, qu'une chèvre galope sur les toits, ou qu'un voyageur s'en aille à grandes enjambées avec tout un village par-dessus l'épaule, c'est, bien sûr, le domaine de la fable, les extrêmes réconciliés, la chiquenaude d'Ariel à tous les Caliban, à tous les balourds du monde. Mais c'est aussi, et plus explicitement, l'invention et la mise en pratique des lois spirituelles d'une apesanteur que Chagall substitue aux ordonnances obsolètes de l'attraction matérielle et à la chute fatidique des corps.

IV

Je ne sais si j'accorde une importance trop grande, et sans doute une affection très exclusive, à une série d'œuvres où ces lois d'une gravitation nouvelle, ces ascensions, ces ravissements dans l'air s'expriment avec une force et une autorité plastique incomparable. Depuis *L'Anniversaire* de 1915, où Chagall et Bella, comme pris par un tourbillon, quittent le sol pour flotter librement dans la chambre, jusqu'à l'extraordinaire toile de *La Promenade* qui confirme l'envol des amoureux dans le ciel, sans oublier *Au-dessus de la ville*, peint deux années plus tard, où un Vitebsk semi-cubiste voit le couple s'éloigner à tire-d'aile vers les hauteurs, toutes ces compositions magistrales, et quelques encres qui les précèdent ou les accompa-

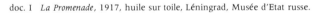

doc. I   *La Promenade*, 1917, huile sur toile, Léningrad, Musée d'Etat russe.

doc. II *Au-dessus de la ville*, 1917-18, huile sur toile, Moscou, galerie Tretiakov.

gnent, attestent l'ordonnance désormais bien établie de l'univers sensible selon le vœu de Chagall : un monde qui déjoue, moins par l'excentricité que par la vraisemblance seconde de ses figures, les apories de la raison et les impératifs catégoriques de l'incommunicabilité.

S'il existe une rêverie au sein même de la démarche picturale de Chagall, il faut l'entendre au sens que Bachelard donnait à ce mouvement méditatif de l'être. Il ne s'agit point, délibérée ou non, d'une rupture à l'endroit du réel, mais d'une sorte de dérive, d'un acte, somme toute volontaire, d'éloignement et d'allègement de la conscience face aux servitudes, cependant reconnues et maintenues, de l'expérience journalière. Rien, par conséquent, qui s'apparente ici à l'onirisme concerté des surréalistes. La revendication narcissique du subliminal pèse trop lourd encore dans les hiéroglyphes chiffrés auxquels s'enchantait le surréalisme. Chagall s'en est toujours détourné, par-delà les rares similitudes de rencontre. Et si André Breton, l'espace de quelques années, a cru pouvoir incorporer les œuvres anciennes de Chagall à son empire de l'imaginaire, l'intuition très sûre qui fut la sienne, et sa défiance aussi, l'ont averti qu'il faisait là fausse route. Ces fiancés dans le ciel, ce moujik barbu, juif errant ou Christ vagabond, ne parlaient pas d'un interdit de la conscience claire. Ils ne profanaient pas, à mots couverts, la transparence unanime du jour pour exalter on ne sait quelle transgression nocturne. C'est, au contraire, vers plus de transparence qu'ils montaient, loin des rébus et des arcanes souterrains. Mais ils n'ignoraient pas, non plus, l'obscur, ni ses ruses, ni ses menaces. Ils cherchaient seulement, par le biais d'une alchimie savante, à les transmuer en une matière volatile, en une essence d'azur. Pouvait-on parler à cet égard d'une translation de registres, d'une simple opération de l'intelligence qui se serait donné pour fin très expresse un « bouleversement des plans spatiaux » ? Breton le pense, ou affecte de le croire encore, lorsqu'il écrit à propos de Chagall, taisant un peu ses réticences : « C'est de cet instant que la métaphore, avec lui seul, marque son entrée triomphale dans la peinture moderne ». Mais tout dépend du sens que l'on confère à cette pratique de l'esprit, communément appelée *métaphore*. Si la conduite métaphorique s'identifie à un transfert, terme à terme, des significations,

si elle n'aboutit qu'à une sorte de va-et-vient délibéré des concepts entre des ordres différents d'intellection et de représentation, Chagall s'en écarte résolument. Il ne recourt pas à la métaphore, comme la plupart des surréalistes à la métonymie ou à l'hypallage, c'est-à-dire en ménageant des équivalences, des balancements, des substitutions, tout à la fois littérales et cryptiques, entre deux types de réalités étrangères l'une à l'autre et soudain mises en parallèle. Il ne transpose pas, il propose aux regards et à l'adhésion de chacun des correspondances irrécusables entre l'espace de l'immobile et les contrées translucides de l'aérien.

Chagall, je me plais à l'imaginer, tout pareil à cet acrobate d'une encre de 1918. Dans sa main droite, le corps cambré d'un minuscule gymnaste avec lequel, sans crainte de le laisser choir, il jongle. Son bras est sûr, même s'il penche un peu trop loin, hors de la page. Au-dessous, vole un coq, crête inversée, pattes roidies en l'air, mais sans rien savoir du vertige. Et l'homme, lui, danseur de corde sans filin, pose le pied, rien qu'un orteil assurément, sur la volute d'un violon, non pas, nous l'avions deviné, pour prendre appui sur quelque point plus stable, mais seulement pour rebondir vers le haut, par la vertu de la musique, comme un ludion léger, tandis qu'un quadrupède abondamment cornu esquisse un entrechat sur la bascule de l'archet, noir sur blanc, impavide. L'équilibre selon Chagall, ce n'est plus, tant s'en faut, la juste économie des masses, le calcul scrupuleux de ce qui monte et de ce qui descend sur une balançoire à l'usage de ces mornes enfants raisonneurs que sont les adultes. C'est, sous le signe de Rimbaud, « une école de tambours faite par des anges », et, pourquoi pas, « des calèches sur les routes du ciel ». Et c'est, d'un même élan, ces lignes, ces couleurs qui se composent et se concertent pour que l'invraisemblable devienne vrai, et que l'irréel se réalise sous les espèces tangibles d'un tableau, ici, dans notre espace mental désemparé, à rebours de nos certitudes.

V

Je parlais tout à l'heure d'une certaine « excentricité » dont on a taxé, ici et là, l'entreprise de Chagall, à des fins louangeuses ou critiques. Je souhaiterais maintenant, mais dans une perspective moins ambiguë, en reprendre la notion, car je la crois susceptible d'éclairer le cheminement qui s'est imposé au peintre depuis les essais de Vitebsk jusqu'aux œuvres de la maturité et aux derniers lavis des années 80. J'ai déjà dit l'exaspération du jeune Chagall devant la fixité et la lourdeur du monde. Même à Vitebsk, même électrisées par son regard, les grandes bâtisses des hommes se cramponnaient à leurs racines, à leurs raisons d'être, à leur rapacité ombrageuse. Je me souviens d'une gouache où le peintre s'est représenté comme interdit, paralysé dans son geste et presque démuni devant l'impérieuse cathédrale qui le domine avec ses bulbes d'or, ses tours fuselées, sa fière orthodoxie triomphante. L'adolescent à la palette brandie va-t-il grandir assez pour s'en prendre, pinceaux en mains, à la massivité monumentale des choses ? S'il hésite, ce n'est point qu'il doute de ses pouvoirs, c'est qu'il prend son élan, et que, nouveau David, il s'arme mieux pour attaquer les forteresses où tous les Goliath se cachent. Mais il n'a garde, bien sûr, de les provoquer de front. C'est d'abord par une grêle d'angles et de zébrures qu'il déséquilibre l'étendue coutumière de la vision. Il harcèle de traits telle ou telle partie de la surface, décontenançant l'économie du lieu, déportant l'intérêt de la bataille. Et ce décentrement stratégique qu'il impose à l'image, qu'il lui inflige plutôt avec une acuité implacable, débouche, en effet, sur une sorte de redistribution topographique, à laquelle on est en droit de donner le qualificatif d'*excentrique*, au sens géométrique de la formule, en écartant les connotations d'extravagance ou d'arbitraire qui s'y adjoignent habituellement. Car nul caprice, nul désir de déconstruire par jeu ou par vengeance ne traverse alors la conscience ni la peinture de Chagall. Si l'excentricité fantastique des premières œuvres laisse place bientôt à une sorte de recentrement que l'on percevait déjà au cours de la période dite cubiste ; si aux visions chaotiques et morcelées se substitue une organisation circulaire de l'espace ; ces tournoiements, ces voltes, ces effusions colorées qui se poursuivent dans des girations presque toujours concentriques, n'obéissent pas seulement à une volonté formaliste. C'est bien plutôt que Chagall, avec le mode d'expression qu'il s'est constitué en toute clairvoyance, s'applique désormais à faire surgir et à dire en images un monde où les significations particulières ne s'excluent pas les unes les autres, où le *sens*, en vérité la sève unanime de l'être, peut et doit circuler en une manière d'échange et de communication librement consentie. Un monde où chaque chose, de l'infime à l'immense, trouve son lieu et se relie. Un monde *religieux*, dans l'acception première du terme.

Je ne me dissimule certes pas qu'en laissant venir ce mot sous ma plume, je m'engage malencontreusement dans un débat qui dépasse mon propos, et qui, au demeurant, est trop grevé d'équivoques. On a pu disserter — et bien peu s'en sont abstenu — de la religiosité de Chagall, de sa secrète piété, et même de je ne sais quel mysticisme — Breton lui en fait le grief — dont il serait le sectateur tacite ou le disciple quelque peu exalté. Je voudrais, pour ma part, m'en tenir à quelques constatations simples et, je l'espère, équanimes. Chagall n'est l'homme d'aucune Église, si l'on entend par là l'adéquation collective des esprits à une doctrine totalisante. Que l'une ou l'autre se l'annexe nous importe ici assez peu. Chagall appartient, en revanche, à une famille spirituelle très ancienne, longtemps décriée pour son hétérodoxie, et qui aujourd'hui peut-être, par-delà les idéologies déclinantes, recouvre sa voix et sa raison d'exister. Je veux dire ceux-là qui n'acceptent ni la diaspora qui divise, ni l'emprise du dogme qui exclut. La peinture de Chagall ne fait appel aux vertus, et même aux artifices de l'imaginaire, que pour postuler une réalité supérieure où la cohésion et la cohérence redeviendraient, comme naturellement, l'assise du sensible. Et en cela, bien sûr, toute parole unitive trouve en lui un écho, un espoir, une réceptivité. Mais que le Verbe se referme sur soi, que le Livre s'arroge le privilège exclusif de vérité, il est plus loin déjà, il se détourne des Métropoles et des Basiliques et, semblable à ces pèlerins, à ces nomades sans feu ni lieu qu'il a convoqués sur ses toiles, il arpente les routes poudreuses, le baluchon à l'épaule, le bâton bien en main. Il est parti rejoindre l'étrange compagnie qu'il affectionne, bergers, bateleurs, musiciens, avec leurs ânes à grelots, avec leurs violons et leurs flûtes. Et que Dieu, s'il existe, ou la grande Nature naturante reconnaisse et accueille les siens...

Max Ernst a écrit un jour — et c'est à mes yeux le commentaire le plus riche qu'ait suscité l'œuvre de Chagall : « Il a créé le cercle de l'incandescence colorée qui appelle la bonté créatrice du monde ». Oui, dans les cercles de Chagall, dans la vibration incessante qu'ils communiquent à l'espace, une foi se fait jour, une promesse veut s'accomplir, ici, rien qu'ici, sans attendre d'autres rives plus rassurantes. Cette promesse, certains l'appelleront amour ; ceux-là, moins ambitieux, parleront de clarté du cœur, de dialogue entre tous, de mutuelle reconnaissance. Chagall est là, qui les écoute. Il ne va pas les démentir. Il approuve, peut-être, du coin de l'œil, avec malice. Mais qu'a-t-il à faire de tous ces beaux discoureurs ? Le temps presse, et voici qu'il lui faut, ce matin, comme hier, comme depuis toujours, guetter sur la toile immobile la lumière dansante d'un astre, l'impondérable d'un fruit mûr.

avril 1984

Le contexte russe de l'œuvre de Chagall

Jean-Claude Marcadé

Dans son essai sur Chagall, Marcel Brion note que le peintre, tout en ne méconnaissant pas au début de son œuvre les bouleversements esthétiques opérés par la peinture française autour de 1910, « continue de peindre, dans un esprit et dans une technique qui ne doit rien au Français »[1]. Cela restera valable tout au long de son œuvre et cela est particulièrement probant dans son travail sur papier où le tempérament original de Chagall se manifeste dans ce qu'il a d'essentiel. Pour essayer de cerner ce tempérament à travers son style, et tout en sachant que toute classification ne peut être que partielle, surtout dans le cas d'un peintre aussi unique dans sa facture que Chagall, nous dirons que sa tendance dominante est « primitiviste-expressionniste ».

Bien entendu, le mot « expressionniste » ne doit pas être entendu au sens qu'il a pris à partir du courant artistique portant ce nom. Chagall a été clair à ce sujet : « Les expressionnistes déforment mais sans tact, avec exaspération. C'est logique, académique. Je ne déforme pas. »[2] Si nous parlons ici d'« expressionnisme », c'est dans le sens où on pourrait ainsi caractériser la violence de l'intensité d'expression, son accentuation dans la couleur ou dans l'hyperbolisme des lignes, chez un Van Gogh, par exemple. Et les dessins le montrent qui disent l'impulsion première, instinctive, immédiate de l'acte créateur sur laquelle viendront se greffer les alluvions des cultures picturales de l'époque (fauvisme-expressionnisme européen, néo-primitivisme russe, cubisme parisien, cubo-futurisme russe), cultures picturales qui laisseront des traces éclatantes dans les différentes phases de son œuvre des années dix et vingt mais qui n'effaceront jamais la constante primitiviste-expressionniste.

Si l'on a pu écrire que du point de vue iconographique, du point de vue aussi de l'espace créé sur la surface du tableau, Chagall a opéré une synthèse de la culture juive et de la culture russe, on peut également affirmer que cela est le cas pour son style pictural. Le génie de Chagall a poussé sur le terreau des traditions plastiques-poétiques juives et russes. Le fait multiplement analysé que son iconographie a puisé dans le monde quotidien et mystique du judaïsme russe ne doit pas masquer un autre fait, à savoir que, même iconologiquement, le monde juif est toujours perçu dans son contexte russe-orthodoxe (entre de nombreux exemples, voir *Le Peintre devant la cathédrale de Vitebsk*, *Le Peintre à la tête renversée*, *Vitebsk* de la coll. Pozner, etc.), et que, surtout, la facture des œuvres chagalliennes ne saurait se comprendre sans l'apport plastique-poétique à la fois juif et russe. Cette expression « plastique-

poétique » demande à être expliquée. Elle implique que la tradition poétique d'un peuple, c'est-à-dire sa littérature écrite et orale, ses us et coutumes, ses rites religieux ou civils, que tout cet ensemble qui se diffuse dans le corps social va de pair avec des contours, des modelages, des dessins spécifiques aussi bien dans la gestique du corps humain que dans le mouvement des groupes, dans leur rapport avec l'environnement. Nous suivons Artaud disant qu'« à côté de la culture par mots, il y a la culture par gestes »[3]. Là se trouve la source principale de la poétique plastique de Chagall, la saisie instinctive du dessin tracé par toute une gestualité véhiculée par la littérature, le mode de vie et la culture. Et c'est ici que viennent confluer le complexe plastique juif et le complexe plastique russe. Sans faire de la *Völkerpsychologie* systématique, la culture juive russe, telle qu'elle nous a été transmise par la littérature en yiddish ou en hébreu et surtout au théâtre (qui visualise de façon matérielle l'expression des mouvements du corps), a produit un ensemble de représentations linéaires tout à fait spécifiques. Sans parler des lettres hébraïques dont la calligraphie constitue, à elle seule, un dessin qui s'est imprégné au plus profond de la complexion artistique chagallienne. A propos des illustrations exécutées à l'encre pour la nouvelle d'Isaac Leib Perez, *Le Magicien*, Franz Meyer note que « le rythme du dessin répond parfaitement aux caractères hébreux de la typographie (ce sont dans les deux cas des textes yiddish), et les personnages des illustrations pour Perez — en particulier l'interminable « Magicien » qui se démène sur la page — vivent de la même vie inspirée que les jambages de l'Aleph, du Daleth et du Thau [...] Dans la suite, ce caractère hébraïque du dessin s'accentuera encore dans le sens du symbolisme tel que l'entend la Kabbale. Mais sans même tenir compte de cela, la comparaison révèle une différence « d'origine » qui est caractéristique de l'art de Chagall par rapport à la tradition occidentale. Le peintre apprit d'abord l'alphabet hébreu, ensuite le cyrillique (dans lequel s'écrit le russe), ensuite seulement l'alphabet latin. Ainsi le graphisme de ses tableaux et dessins doit-il beaucoup au premier, moins au second et très peu au troisième »[4].

Dans beaucoup d'œuvres on trouve des textes en caractères cyrilliques ou en caractères hébraïques, avec un tracé cursif naïf ou une fine calligraphie, comportant quelquefois des fautes d'orthographe comme dans les graffiti (voir dans les dessins : *Le Marchand de journaux*, 1914 ; *L'Homme au fusil*, 1920 ; *Chagall*, 1918 ; *Collage*, 1920 ; *Le Village en marche*, 1920 ; *Tristesse*, 1919 ; *Le Voyageur*, 1918-20). Chagall lui-même a commenté la présence de lettres sur son *Autoportrait aux sept doigts*, en disant : « Le texte en caractères hébraïques : Russie-Paris n'est qu'un élément plastique ».[5]

Dans plusieurs langues (dont le chinois et le russe) peindre et écrire se disent avec un seul et même verbe. Et en Russie, dès les débuts de ce qu'on appellera par la suite « l'avant-garde russe », donc après 1907, la pratique picturale retrouvera l'union archaïque du tracé pictural et du tracé calligraphique. L'introduction de l'écriture sur la surface du tableau chez Larionov à partir de 1908 a une toute autre signification que l'emploi des chiffres, des caractères d'imprimerie, du trompe-l'œil ou du collage chez Braque et Picasso entre 1910 et 1912. Dans le cubisme analytique, il s'agit de l'insertion d'éléments réalistes, montrant une des faces multiples du réel, soulignant l'ambivalence de l'objet dans son apparence et son inapparence. Chez les Russes, cette intégration de lettres imprimées allait parallèlement avec une intégration de *l'écriture à la main* dans la constitution de la surface picturale. C'est Larionov qui a inauguré dans sa série des *Soldats* (1908-1911) l'utilisation des inscriptions cursives dans la peinture moderne. L'interprétation qui consiste à ne voir dans ces graffiti, rappelant ceux qu'inscrivent des anonymes sur les murs (volonté de matérialiser brutalement des sentiments), qu'une provocation contre l'alexandrinisme et l'esthétisme raffiné du symbolisme et de l'art nouveau n'est vraie que secondairement. C'est ne pas voir la tradition russe dans laquelle s'inscrit le néo-primitivisme de Larionov et, bien entendu, celui de Chagall. Le texte écrit à la main, souvent calligraphié, est présent sur l'icône aussi bien que sur l'image populaire xylographiée (le *loubok*), sur les enseignes des boutiques, sur les carreaux de faïence, sur les broderies ou sur les rouets (œuvres auxquelles se réfèrent constamment les néo-primitivistes russes[6]), et il y a une fonction autant ornementale et compositionnelle qu'explicative. Larionov avait retrouvé dans la tradition populaire la peinture-écriture comme *geste de tracement*. C'était l'affirmation que l'écriture peinte (gestualisation d'une nécessité mentale) a une valeur picturale égale à l'objet peint désigné par l'écriture. Il y a autant d'énergie picturale dans le tracé du nom de l'objet que dans le tracé de cet objet lui-même, et, comme conséquence, le tracement de l'objet puise à cette liberté vivante du trait, du geste. L'œuvre de Chagall participe totalement de cette orientation qu'a connue la peinture russe avec le néo-primitivisme de Larionov et de Gontcharova. Bien que Chagall ait fait son apprentissage à l'Ecole d'Encouragement des Arts, puis dans celle de E. Zvantseva (dans l'atelier de Bakst), lieux où se reflétait surtout l'esthétique raffinée, « cultivée » et « rétrospectiviste » du « Monde de l'art », où, comme dit Chagall dans son autobiographie, « florissaient la stylisation, l'esthétisme, toutes sortes de façons mondaines, de maniérismes »[7], il n'a pas pu ignorer les bouleversements qui s'opéraient depuis 1907 à Moscou, Saint-Pétersbourg ou Kiev[8]. Ce n'est pas un hasard si quelques-unes de ses œuvres ont été montrées aux expositions organisées par Larionov à Moscou, « La Queue d'Ane » (1912) et « La Cible » (1913)[9]. Si Larionov a fait participer Chagall à ses deux expositions, c'est qu'il voyait dans son œuvre des affinités avec sa propre orientation esthétique.

Picturologiquement, le néo-primitivisme avait mis l'anti-perspectivisme, le laconisme et les contrastes colorés au service d'une thématique triviale. Iconographiquement, en opposition avec les thèmes évanescents des peintres symbolistes de « La Rose Bleue » ou des préciosités raffinées du « Monde de l'Art », les titres des œuvres des néo-primitivistes dans les expositions de « La Guirlande » (Moscou et St-Pétersbourg, 1907-1908), du « Maillon » (Kiev, 1908) ou des deux Salons de « La Toison d'Or » (Moscou, 1908 et 1909) étaient : *Les Dindes, Chèvre, Chameau, Cochon, Ecuries, Plantation de pommes de terre, Les Ivrognes, Les Pétrisseurs*, etc., toute une thématique provinciale, tout un monde de paysans, de petits artisans, de « petites gens » qui est aussi celui de Chagall dès le début (son

L'Automne de Larionov (1911, MNAM) est un des panneaux de ses *Quatre saisons* ; c'est un exemple de l'influence sur le néo-primitivisme russe du dessin d'enfants et des graffiti. Alors que chez Chagall la ligne lance les êtres et les objets dans une danse picturale, ici le trait est hiératisé, presque figé dans une expression primitive. La pose du personnage féminin principal vient des images archaïques de la Grande Mère : c'est une orante païenne.

1. Marcel Brion, *Chagall*, Paris, Somogy, 1959, p. 22.
2. *Chagall*, Paris, Musée des Arts Décoratifs, 1959, p. 82.
3. Artaud, *Le Théâtre et son double*, Paris, 1964, p. 164.
4. Franz Meyer, *Marc Chagall*, trad. Philippe Jaccottet, Paris, Flammarion, 1964, p. 246.
5. *Marc Chagall*, Paris, Musée des Arts Décoratifs, 1959, p. 84.
6. Cf. Valentine Marcadé, « Sur l'influence de la création populaire sur l'art des artistes russes d'avant-garde du XXᵉ s. » (en russe), *in Communications de la délégation française au VIIᵉ Congrès international des Slavistes à Varsovie*, P., Institut d'Etudes Slaves, 1973, p. 279-308.
7. Chagall, *Ma vie*, Paris, Stock, 1957, p. 128.
8. Cf. Valentine Marcadé, *Le Renouveau de l'art pictural russe, 1870-1914*, Lausanne, L'Age d'Homme, 1972, p. 199 sq.
9. Chagall dit avoir exposé à « L'Union de la Jeunesse » à St.-Pétersbourg en 1911 (Franz Meyer, *Marc Chagall*, p. 733). Dans les catalogues des deux expositions qui eurent lieu cette année-là sous le sigle de « L'Union de la Jeunesse » le nom de Chagall ne figure pas (cf. Valentine Marcadé, *Le Renouveau de l'art pictural russe, op. cit.*, p. 317-320) ; dans le deuxième sont présentées deux séries d'œuvres avec des astérisques *(ibidem*, p. 320) : il est donc possible que l'une d'elles soit de Chagall.

Les dessins de David Bourliouk pour le recueil futuriste *La lune crevée* (1913) montrent la fortune des procédés néo-primitivistes en Russie, tels qu'ils avaient été lancés autour de 1908 par Larionov. L'esprit et la facture de ces œuvres ont une toute autre fonction que dans le dessin chagallien. Ici sont recherchés l'expression provocante, l'érotisme des graffiti, la trivialité du trait, l'hyperbole des formes jusqu'à la caricature, l'incongruité de la répartition des éléments figuratifs. Il s'agit d'une « naïveté » voulue et agressive.

dessin de 1907, *Le Bal*, représente un milieu populaire). Le peintre Grabar se moque de ces artistes qui peignent « l'un avec des carrés, l'autre avec des virgules et le troisième avec un balai »[10]. Ce qui choquait, c'était la trivialité des sujets tirés de la vie quotidienne la plus humble mais surtout la liberté du trait qui ne cherchait pas à imiter le réel mais visait l'expressivité maximale. Ce qui fait la différence des peintres russes de l'avant-garde avec les peintres occidentaux, même quand ils ont pu leur emprunter plusieurs principes plastiques, ce qui rend totalement insolite, comme cela a été maintes fois souligné, l'art de Chagall dans le concert de la peinture européenne, c'est précisément que la structure de base de leur tableau a été l'image populaire qui ignore la tradition « cultivée » des ateliers professionnels et trouve, en dehors des règles, à travers son apparente malhabilité, un rythme expressif intense, parce que plus immédiat (plus près du geste ou de l'intonation orale). On ne doit jamais perdre de vue que la plupart des grands peintres russes contemporains de Chagall (Larionov, Gontcharova, Malévitch, Filonov) sont partis de la structure iconographique et picturologique du *loubok*. Ils n'ont pas intégré les éléments primitivistes dans une nouvelle conception de la surface du tableau, comme les Français ont pu intégrer les données de l'art africain et polynésien à une structure cézannienne. Ils ont incorporé les découvertes formelles du post-cézannisme à une structure de base primitiviste. Gauguin avait voulu aboutir à un tel résultat, Gauguin qui viendra, surtout à travers l'œuvre de Gontcharova, confirmer la pratique du néo-primitivisme russe après 1907, Gauguin dont Malévitch a écrit : « Gauguin, qui a fui la culture pour aller chez les sauvages et qui a trouvé chez les primitifs plus de liberté que dans l'académisme, se trouvait soumis à la raison intuitive. Il cherchait quelque chose de simple, de courbe, de grossier. C'était la recherche de la volonté créative. Ne pas peindre à aucun prix comme voit l'œil du bon sens »[11]. Ce n'est pas un hasard non plus si Matisse,

lors de sa venue à Moscou pour installer les panneaux de *La Danse* et de *La Musique* chez le mécène S. Chtchoukine, vit dans l'art des icônes une confirmation à sa recherche du « signe pour chaque chose [...]. Avec des signes on peut composer librement et ornementalement »[12]. Et cela fut la quête essentielle de Chagall qui se traduit le mieux dans ses dessins : la quête du tracé libre qui suit « l'ordre du cœur » et auquel se plie « l'ordre de la raison ». A propos de son *Saint Voiturier au-dessus de Vitebsk*, il écrit : « Il ne s'agissait pour moi que de résoudre un problème plastique : construire une arabesque en forme de personnage : un signe de personnage, un signe d'architecture »[13].

Si Chagall a tiré profit pendant environ vingt ans de la discipline apportée par les différents mouvements stylistiques des années dix et vingt, c'est la liberté de son instinct artistique qui était toujours importante et qui l'a finalement emporté ; c'est elle qui déroute souvent la critique qui ne peut rattacher entièrement Chagall à un courant dominant de l'avant-garde et qui ne voit que répétition là où il s'agit en réalité de l'expression toujours la même et toujours renouvelée des rythmes les plus immédiats et les moins médiatisés de l'instinct. Chagall a lui-même revendiqué cette esthétique des « états d'âme » qui n'a rien à voir avec le psychologisme réaliste mais avec le sentiment que le rythme poétique traverse l'homme et que l'artiste en est le traducteur. « Je ne saisis rien que par mon instinct, écrit-il. Vous comprenez ? Et la théorie scolaire n'a aucune prise sur moi. En somme, la fréquentation de l'école avait plutôt pour moi un caractère de renseignement, de communication, que d'instruction proprement dite »[14]. Chagall n'a jamais perdu son âme d'enfant : que l'on regarde ce dessin de 1983, *Dans le ciel*, où passe l'iconographie de toute une vie, il conserve les mêmes qualités d'ingénuité, ce même frémissement de naïveté savante dans le tracement des éléments figuratifs de la composition, cette fraîcheur de l'illogisme apparent des juxtapositions de formes, toutes choses auxquelles Chagall nous a habitués tout au long du siècle mais qui ne déçoivent que ceux qui conçoivent l'art comme un progrès. Cela aussi, les néo-primitivistes russes du début du siècle l'avaient contredit en confrontant la tradition picturale académique européenne à toutes les autres traditions, celles de l'Orient asiatique comme celles de tous les arts populaires, en la confrontant aussi à une autre expression, considérée jusqu'alors comme une curiosité amusante, celle des enfants ou des peintres naïfs. C'est en décembre 1909, au troisième Salon de la revue *La Toison d'Or*, que triomphe le néo-primitivisme russe de Larionov et de Gontcharova[15] ; lors de cette exposition, on montra aussi des œuvres populaires (dentelles, *loubok*, icônes, gâteaux ornés d'arabesques)[16]. Dans son almanach *Le Studio des impressionnistes* (1910), le « grand-père du futurisme russe », Koulbine, comparait la beauté de l'art des enfants ou des hommes préhistoriques à celle des productions de la nature (fleurs ou cristaux). Bakst, le maître de Chagall à Saint-Pétersbourg, attire l'attention dans son article du n° 3 de la revue *Apollon* (1909) pour les dessins d'enfants. Larionov, de son côté, reconnaissait comme œuvres d'art les copies, les objets de la création populaire, les enseignes, les dessins d'enfants, etc. Une section de « La Cible », exposition à laquelle Chagall participa en 1913 à Moscou, contenait des dessins d'enfants et d'anonymes, des enseignes, et révéla le peintre naïf géorgien Niko Pirosmanichvili[17].

Au début du siècle, l'art populaire sous toutes ses formes est montré dans plusieurs expositions russes d'art et exerce une influence iconographique et picturologique majeure sur l'avant-garde. Les néo-primitivistes russes y ont puisé le laconisme du trait, l'illogisme de la représentation, l'humour, afin d'atteindre une expressivité maximale. Il s'agit ici d'un fragment de broderie ukrainienne du début du XXᵉ siècle.

Cette même année 1913, Larionov organisa à Moscou son « Exposition d'icônes anciennes et de *loubok* (images populaires) » et écrivit dans le catalogue : « Les contours du loubok sont très variés ; dans la majorité des cas, l'objet parfaitement libre que l'on examine est tout entier dans divers plans, vus de divers points de vue portés sur un seul tableau. C'est pour ainsi dire l'analyse primitive de l'objet de plusieurs points de vue, car par lui-même l'objet est indestructible, mais c'est seulement sur une surface plane qu'il est disposé dans des positions diverses. » Mais pas plus que Larionov ou Gontcharova, Chagall n'est un peintre naïf ; aucun d'eux ne peint « comme des enfants ». Cependant, le dessin d'enfant leur a fait prendre conscience du caractère plastique d'un tracé « innocent », ce qu'exprime finement Georg Schmidt lorsqu'il note : « Chagall n'a jamais abandonné le paradis du dessin d'enfant prénaturaliste : même l'école n'y put rien ! Chagall n'a jamais commis le péché originel, il n'a jamais cédé à la tentation d'un art fondé sur la connaissance de la réalité extérieure »[18].

Cette âme d'enfant que Chagall a gardée à travers toute son œuvre lui a permis d'être installé de plain-pied aux sources mêmes de la sensibilité. Selon la formule de Marcel Brion, « Chagall est un homme qui s'est établi au cœur même de l'âme du monde, et avec lequel toutes les choses ont fait amitié »[19]. Jacques Maritain, lui, parle de « cette obsession

du miracle et de la liberté, de l'innocence et d'une communication fraternelle entre toutes choses »[20] ; Bachelard note que chez Chagall « le vivant et l'inerte s'associent »[21] ; quant à Jean Cassou, il relève que « pour l'esprit religieux de Chagall, toutes choses, dans l'univers, sont reliées les unes aux autres, tout s'y tient [...]. De cette active solidarité universelle le moteur est l'amour »[22]. Chez Chagall la chair n'est jamais triste comme chez les expressionnistes allemands ou chez son compatriote Soutine. Son œuvre ne connaît jamais la « négativité » en tant que faille métaphysique au cœur du monde ou de l'individu. Même quand il représente des scènes d'horreur ou bien la sensualité animale, il les enveloppe dans une lumière, dans un rythme qui font apparaître d'autres dimensions du monde. Ici intervient une catégorie qui n'a guère bonne presse dans la poétique occidentale, c'est celle de « bonté » qui représente en Orient autre chose que des sentiments de patronage ou ceux d'un humanisme médiocre à quoi la bonté est assimilée souvent quand elle imprègne les œuvres d'art. La célèbre phrase de Gide : « On ne fait pas de bonne littérature avec de bons sentiments » est démentie, en particulier, par toute une tradition de héros, « bons » sans être fades, dans la littérature russe (Tourguéniev, Dostoïevski, Leskov, Tolstoï, Tchékhov). Cette tradition russe se conjugue, là encore, avec celle du hassidisme. Si Chagall participe de la « désintellectualisation » de la peinture et des sujets qui est celle du néo-primitivisme russe, il n'en possède pas moins une science picturale et une technique du dessin qui, loin de contredire la fraîcheur naïve de son instinct artistique, le dynamisme et le vigoureux schématisme des contours, leur confère une force expressive inégalée. Chagall peint comme il respire, mais il sait maîtriser et contrôler sa respiration. Jacques Lassaigne a écrit : « Il y a peu d'artistes chez qui le dessin soit aussi spontané, aussi peu étudié, aussi expansif. [...] C'est vraiment le geste initial, l'ébauche qui se cherche, la sensibilité qui s'épanche. [...] Une tache, un accent suffisent à transfigurer l'humble tracé des choses, à créer une nouvelle proportion, un autre espace. L'aspect graphique est très particulier. Minutieux, précis quand il faut, il reste le plus souvent en suspens [...]. Chagall hait la virtuosité ; l'éloquence chacun de ses dessins lui tord le cou »[23]. L'« alogisme », le fantastique, le caractère irréel et onirique chagalliens ont fait l'objet

10. I. Grabar, « *L'Union* et *La Guirlande* », *La Balance* (Viessy), janv. 1908, p. 142 ; je me permets de renvoyer pour une brève histoire du néo-primitivisme russe à mon article : J.C. Marcadé, « Les futurismes russes du point de vue des arts plastiques avant la Révolution de 1917 » in *Europe*, avril 1975, p. 139 sq.
11. K. Malévitch, « Du cubisme et du futurisme au suprématisme. Le nouveau réalisme pictural » (1916), in *Ecrits I - De Cézanne au suprématisme*, Lausanne, L'Age d'Homme, 1974, p. 66.
12. Henri Matisse, *Ecrits et propos sur l'art*, Paris, Hermann, 1972, p. 204-205.
13. *Marc Chagall*, Paris, Musée des Arts Décoratifs, 1959, p. 86.
14. Chagall, *Ma vie*, *op. cit.*, p. 130.
15. Cf. Valentine Marcadé, *Le Renouveau de l'art pictural russe, 1863-1914*, p. 171-172.
16. Cf. Vladimir Markov, *Russian Futurism. A History*, Berkeley-Los Angeles, University of California, 1968, p. 35.
17. Cf. catalogue dans : Valentine Marcadé, *Le Renouveau de l'art pictural russe*, *op. cit.*, p. 234-235.
18. *Chagall*, Paris, Musée des Arts Décoratifs, 1959, p. 116.
19. Marcel Brion, *L'art fantastique*, Verviers, Marabout Université, 1968, p. 328.
20. *Chagall*, Paris, Musée des Arts Décoratifs, 1959, p. 290.
21. *Ibidem*, p. 326.
22. *Ibidem*, p. 338.
23. Jacques Lassaigne, *Chagall-Dessins inédits*, Genève, Skira, 1968, p. 6, 7-8.

d'analyses et d'interprétations nombreuses et fouillées. Il est évident que la démarche chagallienne ne s'apparente que très superficiellement au symbolisme contemporain des débuts de Chagall ou au surréalisme qui s'affirmera quand son œuvre à lui s'est déjà affirmée depuis longtemps. « Tout notre monde intérieur est réalité, dit Chagall[24], peut-être encore plus réel que le monde apparent ». Et cela est dû au fait que le peintre russe est plongé tout entier dans le monde si riche en iconographie mythique et poétique du hassidisme où les anthropomorphismes bibliques sont rapportés à la gloire de Dieu, où la présence divine sanctifie tous les actes de la vie, même les plus charnels, où l'ordre du monde sensible est transfiguré par l'ordre émanant du divin. Et cela entraîne un modelage spécifique, une déformation particulière, a-logique, des formes. Mais là encore on constate une confluence avec toute une tradition russe du « fantastique » et de l'illogisme. Une des sources principales en est sans doute l'œuvre de Gogol qui est, d'ailleurs, le seul auteur russe qu'il ait illustré[25]. Il avait fait également des esquisses non réalisées sur scène pour *Le Mariage* de Gogol en 1919[26]. La langue puissamment plastique de Gogol fait naître un dessin extraordinairement varié de formes tirées des métamorphoses du réel, des espaces de rêve ou de cauchemar, d'hyperboles, dessin avec lequel Chagall ne pouvait qu'avoir des affinités électives. Vladimir Nabokov écrit à propos du *Révizor,* dont existent également des esquisses de Chagall : « Dans l'arrière-plan irrationnel, grouillent non seulement des créatures humaines, mais encore de nombreux objets qui sont appelés à jouer un rôle aussi important que celui des personnages [...]. Cette confusion se revêt, dans l'univers de Gogol, d'une logique tout aussi solide là où le nom d'un poisson est une explosion de musique divine pour les oreilles des gourmets et où les concombres sont des personnes métaphysiques pour le moins aussi puissantes que la divinité privée du maire d'une ville provinciale »[27]. C'est cela qu'a saisi Chagall le Juif chez Gogol l'Ukrainien ; c'est grâce à cette parenté, à laquelle s'ajoute encore le fait que tous les deux ont lancé un pont entre deux cultures pour créer une poétique sans pareille, c'est grâce à cette parenté que Chagall a débarrassé Gogol des représentations naturalistes socio-politiques par lesquelles on continue encore à le méconnaître. Comme le dit encore Vladimir Nabokov, l'œuvre de Gogol « est un prodige de langage et non d'idées »[28]. Dans la littérature, la poésie et la peinture russes du premier quart du XXe siècle, celles précisément dont Chagall était le contemporain, qu'il a côtoyées en observateur, en témoin, en praticien, la ligne gogolienne d'une vision de la réalité traversée par une autre logique que celle de la vie courante utilitaire est étonnamment persistante.

C'est dans les années dix que se développe la poésie transmentale (en russe, « zaoum ») de Vélimir Khlebnikov et Alexis Kroutchonykh qui se voulait une langue « au-delà de la raison », entendons : de la raison qui se limite à voir, pour des raisons utilitaires, de commodité, le monde uniquement dans les trois dimensions euclidiennes. S'en prenant au dualisme kantien entre le monde nouménal et le monde phénoménal, Khlebnikov écrivait : « Kant, en voulant déterminer les limites de la raison humaine, a déterminé les limites de la raison allemande »[29]. L'œuvre de Khlebnikov, c'est la liberté totale des rythmes du langage avec l'effacement entre prose, prose rythmée, vers libre et versification classique, c'est l'élar-

gissement du diapason des rimes, le rapprochement de la poésie de la langue parlée, c'est la légèreté du passage de l'ironie au pathétique, c'est l'effacement des limites entre nouvelle, poème, pièce théâtrale et traité poétique. Khlebnikov, à la suite des peintres néo-primitivistes, a utilisé le langage enfantin de façon systématique. Ses compagnons de la « futuraslavie » (futurisme russe, ou « boudietlianstvo »), Hélène Gouro, Kamienski, Kroutchonykh, qui étaient à la fois poètes et peintres, ont mis à l'honneur l'art des enfants non seulement en publiant leurs dessins ou poèmes mais aussi en intégrant leur poétique à leur art[30].

Les principes de la poésie « transmentale » trouvèrent un pendant dans l'*alogisme* de Malévitch (*La Vache et le Violon,* 1913, du Musée Russe de Léningrad, ou *Un Anglais à Moscou,* 1914, du Stedelijk Museum d'Amsterdam) ou dans les toiles-macrocosmes de Filonov où chaque atome de toile est saturé

La Vache et le violon de Malévitch (Musée Russe, Léningrad) est un exemple de *l'alogisme* du peintre en 1913-14. Un élément incongru (la vache) vient, dans une sorte de geste iconoclaste, rompre l'harmonie cubiste dont le violon est *l'eidolon* par excellence. Cette démarche, parallèle à celle de la poésie « transmentale » de Khlebnikov et de Kroutchonykh, est totalement différente de l'approche picturologique chagallienne ; pour Chagall, il n'y a aucune contradiction représentative entre une vache et un violon, les deux ayant une place en harmonie avec une certaine ordonnance mythique du monde.

Chez Filonov, comme chez Chagall, tous les éléments du monde (êtres vivants et objets) sont animés par une même vie et sont confrontés dans un ordre apparemment irrationnel. Les visages sont à la fois humains et animaux. Cependant, la picturologie des deux peintres est totalement opposée. Alors que, chez Chagall, le cosmos est plein de surfaces aérées, lumineuses, qui permettent à ceux qui y séjournent d'évoluer en toute liberté, chez Filonov, selon sa méthode analytique de la « finition », tout est saturé, parcellisé, inextricable, comme dans une représentation totémique.

de pictural et où l'organique et l'inorganique, les êtres vivants, les objets et l'étoffe du monde ont la même vie picturale.

Il faut dire encore que ces mouvements « transmentaux », « alogiques » s'inséraient dans un climat d'idées où l'irrationnel jouait un rôle dominant. Avant 1914, les thèses d'orientation théosophique (R. Steiner, H.P. Blavatsky, P.D. Ouspenski) connaissent une grande fortune dans les milieux de l'avant-garde artistique russe, dans la mesure où elles confirment l'existence d'autres dimensions que les trois dimensions renaissantes. Les géométries non-euclidiennes (les idées de Lobatchevski sont popularisées autour de 1900 en Russie)[31], la vulgarisation de la philosophie bergsonnienne confortent l'exploration par les écrivains, les poètes, les peintres, les penseurs des espaces à la réalité aussi réelle que celle de l'espace tridimensionnel (espaces intérieurs, oniriques, cosmologiques).

Il y a donc convergence chez Chagall avec ce *Zeitgeist* dominant en Russie. Lui-même n'avait guère d'affinités avec la tonitruance et les extravagances par quoi souvent se manifestaient les mouvements russes littéraires et picturaux. Ce n'est pas un hasard si les « criailleries » de Maïakovski et ses

« crachats publics », selon son expression, le « dégoûtaient »[32]. Les seuls poètes dont il se sent proche, ce sont le symboliste Alexandre Blok et surtout l'imaginiste Essénine :

« J'aimais mieux Essénine, dont le sourire et les dents m'émouvaient. Il criait aussi, ivre de Dieu, non du vin. Larmes aux yeux, il frappait non la table, mais sa poitrine et crachait non sur autrui, mais sur sa propre face. De la tribune il m'envoyait son salut. Il se peut que sa poésie soit imparfaite ; mais n'est-elle pas, après celle de Blok, le seul cri de l'âme de la Russie ? »[33].

Ce que Chagall a reconnu d'apparenté chez Alexandre Blok, c'est sans doute la fluidité de sa musique poétique, mais surtout son univers onirique et mystique, sa critique de la civilisation européenne et de l'intelligentsia, terriblement accrochées à la terre, critique qu'il a exposée dans son essai célèbre de 1908, *La Russie et l'Intelligentsia* de novembre 1908.[34]

Mais la plus grande tendresse de Chagall va vers Serge Essénine qui sera le plus grand poète du mouvement *imaginiste*, lancé en 1919 face au symbolisme, à l'akméisme et au futurisme. Chez Essénine, le dualisme kantien entre le monde des phénomènes et celui des choses en soi est inexistant. Tout est brassé en une seule harmonie. Ce qui se passe sur la terre et au ciel est du même ordre et, pour Essénine, cet ordre est « paysan ». C'est le lait des vaches rousses de son enfance qui coule dans ses chants. Le petit érable, *c'est la même chose* que le petit veau qui tête le pis de sa mère. Le vent *est* un petit âne roux et caressant. Le ciel qui a vêlé lèche son petit veau roux. Les animaux symbolisent la souffrance des êtres sans défense. Dans son système poétique, le monde animal fournit une moisson abondante d'images. Le nuage est une souris ; les lueurs des izbas regardent avec des yeux de chouette ; l'automne est une cavale rousse grattant sa crinière ; la lune — un agneau bouclé se promenant dans l'herbe bleue ; l'aurore fait sa toilette tel un petit chat et, au moment de la Révolution, elle aboie ou devient une louve. Comme chez Chagall, la familiarité de Essénine avec les animaux lui permet de percevoir les analogies mystérieuses du monde. Les nuages, grands comme des poulains, hennissent tels cent juments ; le petit veau lèche la frange rouge du soir, tandis que le vieux chat du « camarade

24. *Chagall*, Paris, Musée des Arts Décoratifs, 1959, p. 348.
25. Nicolas Gogol, *Les Ames mortes*, Paris, Tériade, 1948.
26. Franz Meyer, *Chagall, op.cit.*, p. 289 sq. ; Matthew Frost, « Marc Chagall and the Jewish State Chamber Theater », *Russian History/Histoire russe*, Tempe (Arizona), Charles Schlacks Jr., 1981, vol. 8, fasc. 1-2, p. 92.
27. Vladimir Nabokov, *Nicolaï Gogol*, Paris, 10/18, 1971, p. 70-71.
28. *Ibid.*, p. 186. Les deux ouvrages importants parus ces dernières années sur Gogol sont : Simon Karlinsky, *The Sexual Labyrinth of Nikolai Gogol*, Harvard University Press, 1976 ; et A. Siniavski, *Dans l'ombre de Gogol*, Paris, Seuil, 1978.
29. V. Khlebnikov, « Razgovor dvoukh ossob » (Conversation de deux personnes), *Soyouz Molodioji* (L'Union de la Jeunesse), 1913, n° 3, p. 53. Sur ce poète, voir : Jean-Claude Lanne, *Vélimir Khlebnikov, poète futurien*, Paris, Institut d'Etudes Slaves, 1983.
30. Cf. Vladimir Markov, *Russian Futurism. A History, op. cit.*, p. 36.
31. Sur la place des sciences dans la prise de conscience des artistes russes de l'avant-garde, voir : Rainer Crone, « A propos de la signification de la *Gegenstandslosigkeit* chez Malévitch », *in Malévitch-Cahier I*, Lausanne, L'Age d'Homme, 1983, p. 45-75.
32. *Chagall, Ma Vie, op.cit.*, p. 220.
33. *Ibid.* Sur Essénine, voir : Gordon Mc Vay, *Esenin, A Life*, Ann Arbor, Ardis, 1976.
34. *La Russie et l'Intelligentsia* est traduit en français dans : Alexandre Blok, *Œuvres en prose*, Lausanne, L'Age d'Homme, 1974, p. 157-198 ; sur Alexandre Blok, voir l'ouvrage de Sophie Bonneau [Sophie Laffitte]. *L'Univers poétique d'Alexandre Blok*, Paris, Institut d'Etudes slaves. 1946.

Martin » saisit la lune avec ses pattes. Enfin, quand il veut montrer tout son amour pour la Russie, Essénine lui donne, à la suite de Chagall, des yeux de vache. Non seulement tout cet arsenal d'images est proche de Chagall dans son fonctionnement poétique même, mais ce qui les unit encore, c'est l'enracinement dans leur réalité religieuse propre, réalité que leur poétique a le pouvoir d'ériger en mythes.

Ce panorama rapide du « contexte russe » de Chagall nous permet de mieux comprendre que, si son art reste irréductible à la peinture européenne malgré les points de jonction évidents, il est de plain-pied chez lui dans la peinture russe du premier quart du XXe siècle. Cela ne veut aucunement dire que Chagall s'inscrit dans un courant particulier de cette peinture russe. Même si le néo-primitivisme, qui fut une des dominantes de l'art et de la poésie russes des années dix de ce siècle, a pu donner des impulsions à sa sensibilité et à son style, sa culture picturale est totalement idiolectique. Un des traits distinctifs dominants, du point de vue picturologique, de cette culture est, à mon avis, son dessin. Cela pourrait sembler paradoxal, puisque la puissance du coloris a toujours été soulignée comme le facteur principal du style chagallien, et ce, dans beaucoup de cas au détriment de la mise en valeur du dessin considéré presque comme secondaire. C'est pourquoi cette exposition des œuvres sur papier, qui nous fait découvrir le « laboratoire créateur » du peintre, laboratoire réduit aux tracés minimaux de l'expression, nous permet de comprendre que la couleur somptueuse des toiles de Chagall ne gagne toute son intensité que parce qu'elle est engendrée par un certain mouvement tracé. Et c'est ce mouvement même qui distingue, picturologiquement, la création chagallienne de l'art de son époque, en particulier de l'art de son pays. En effet, on remarque que les néo-primitivistes russes (Larionov, Gontcharova, Malévitch, Filonov) nous donnent toujours un dessin hiératique ; les attitudes, même déformées, sont figées comme dans l'art primitif européen, dans l'art des icônes ou dans l'art populaire. Leurs œuvres sont des icônes, non, bien évidemment, comme objets du culte orthodoxe, mais comme images picturales où le tracé fixe l'exemplarité du dit et du non-dit concentrés dans le tableau. Chez Chagall, pour qui on a abusé de la référence à la peinture d'icônes à partir de quelques analogies thématiques (comme dans Russie de 1912), rien n'est jamais fixé dans un hiératisme de type byzantin. Son dessin est perpétuellement chorégraphique. Sa ligne est danse. Aucune de ses compositions, aucun de ses portraits n'est figé, tous les éléments (gestes, objets, costumes, corps, nature) se trouvent dans des mouvements rythmiques qui sont des instantanés dans une ligne chorégraphique qui a un avant et un après. Regardons, entre mille, Le Prestidigitateur (1915), L'Acrobate (1918), Le Village en marche (1920), Le Mouvement (1921), voire une des Esquisses pour la Révolution (1936-37), n'est-ce pas le même ballet plastique des corps dans des positions aux figures libres et des objets aux lignes animées d'un mouvement cadencé ? Dans les dessins pour Le Message biblique, voire dans les esquisses pour La Flûte enchantée, c'est le cosmos tout entier qui devient Planetentanz. La chorégraphie picturologique de Chagall converge avec la « chorégraphisation de la vie » (tantsévalizatsia) que le peintre préfuturiste Nicolas Koulbine préconisait autour de 1910, avec la « théâtralisation de la vie » qui domine la pensée du metteur en scène et dramaturge Nicolas Evreïnov avec lequel

Chagall a collaboré [35], voire avec la « carnavalisation » dont le théoricien de la littérature Mikhaïl Bakhtine a fait une catégorie poétique[36].

Il nous semble évident que le dessin-danse de Chagall s'est tout naturellement développé à partir du complexe plastique-poétique du hassidisme. On le sait, les hassidim ont introduit la danse et l'extase dans les célébrations rituelles. Cela était la prolongation de ce qui était dit dans l'Ancien Testament sur les Hébreux dansant durant les cérémonies (le roi David dansant en tournoyant de toutes ses forces devant Yahvé dans I Samuel 6, 14). Ce mouvement du corps, qui imprègne la vie liturgique aussi bien que la vie quotidienne de rythmes expressifs spécifiques, trouve une nouvelle vie au théâtre, ce théâtre juif de Moscou auquel Chagall a apporté une contribution essentielle au début de la Révolution russe[37]. C'est Chagall qui a donné l'impulsion initiale au théâtre juif de Granovski, où les pièces étaient jouées en yiddish, en lui fournissant toute une gestuelle individuelle et collective spécifique de l'expression juive[38]. Les torsions du corps sont accompagnées d'une mimique des mains et des bras, de toute une variété de jeux musculaires avec la tête (voir les esquisses de Chagall pour Les miniatures de Sholom Aleichem), le tout multiplié par le nombre des personnages donnant un tempo de pantomime. Cela est particulièrement frappant dans le panneau de Chagall, Introduction au Théâtre Juif, où sur des surfaces géométriques dynamiques évoluent dans un tourbillon choréique des musiciens, des acrobates, des jongleurs aux postures excentriques, comme aussi dans les quatre panneaux exécutés également pour décorer le Théâtre Juif de Granovski : La Musique, La Danse, Le Théâtre (dont est présentée ici l'esquisse L'Acteur), La Littérature[39]. Chagall a particulièrement fixé cette gestique toute en cassures ou en mouvements hyperboliques dans ses dessins représentant Mikhoels, l'acteur principal du Théâtre Juif de Granovski et un des plus grands acteurs du XXe siècle. Il est à noter que Mikhoels, comme Chagall, ne saurait être réduit à sa spécificité juive. Mikhoels, qui fut une des plus étonnantes incarnations du Roi Lear, dépasse les limites régionales[40]. Si nous avons souligné ici les origines d'un certain dessin dans sa différence avec celui d'autres cultures aussi bien chez Chagall, dans le Théâtre Juif de Granovski, ou chez Mikhoels, cela ne doit pas masquer leur universalité, leur participation à part entière au mouvement général des arts. le complexe gestuel, idéel ou socio-culturel juif est le filigrane d'une expression artistique universelle. Ainsi, le grotesque, la parodie, l'ironie, l'excentrisme, qui marquent si fort l'expression juive, s'inscrivent-ils dans un ensemble, celui des arts des années vingt, où ces catégories ont été largement développées [41]. Si l'on compare l'autre théâtre juif de Moscou, le Théâtre Habima (qui, lui, jouait ses pièces en hébreu), avec le Théâtre Juif de Granovski, on comprend que le problème de l'universalité est dans les deux cas atteint avec des prémisses totalement différentes. Le Théâtre Habima fit appel le plus souvent à des metteurs en scène ou à des peintres non-juifs (Vakhtangov, Yakoulov...) qui, au contraire du Théâtre Juif de Granovski, voulurent éliminer le caractère trop populaire ou petit-bourgeois du monde juif ukrainien ou biélorussien, et retrouver le « Juif Eternel » (c'est le titre d'une pièce en hébreu de Pinski), non celui du ghetto mais celui de la Palestine. Georges Yakoulov qui fit les décors du Juif Eternel est explicite à ce sujet : « En partant non pas de l'anémie, des scrofules et de la détresse des aborigènes traqués de la zone, mais du pathétique raffiné, de la richesse, de la productivité et de la force de ce génie juif auquel le monde doit la Bible et toutes les images universelles qui ont nourri au même titre que la culture hellène le monde européen au cours des siècles... »[42]. Le texte de Yakoulov est évidemment polémique, il ne prend pas en compte le fait que le Théâtre Juif de Granovski à travers ses peintres (Chagall, Altman, Rabinovitch, Falk) a accompli une synthèse aussi puissante, peut-être même plus convaincante, en partant du particulier, que dans l'idéalisme de Habima mettant sur le même pied Jérusalem et Athènes.

« Je ne peux pas parler, je peux penser », dit le Moïse de Schönberg dans *Moïse et Aaron* ; Chagall, qui partage avec le Prophète son bégaiement, pourrait dire : « Je ne peux pas parler, je peux peindre. » Avec Chagall, l'iconographie est à ce point dominée par la plastique de son dessin, où la référence au réel s'évanouit dans la polysémie des lignes, que la part du narratif, de la communication d'un message, y est totalement réduite.

Si Chagall est totalement à part dans l'art du XXe siècle, il n'est pas complètement isolé si l'on prend en considération tout le contexte russe sur lequel son art s'est développé. Il a, de son côté, tellement marqué le paysage russe de façon emblématique qu'aujourd'hui encore la « Russie de Chagall » se superpose invinciblement à nous dans la vision de la réalité spatiale russe.

35. Chagall fit en 1916 les décors de *Mourir content* de Nicolas Evreïnov au Théâtre de l'Ermitage de Pétrograd.
36. Cf. M. Bakhtine, *Problèmes de la poétique de Dostoïevski*, Lausanne, L'Age d'Homme, 1970, et *L'œuvre de François Rabelais et la culture populaire au Moyen Age et sous la Renaissance*, Paris, Gallimard, 1970.
37. Sur l'histoire de ce théâtre, voir le livre de Béatrice Picon-Vallin, *Le Théâtre juif soviétique pendant les années vingt*, Lausanne, L'Age d'Homme, 1973.
38. Cf. Béatrice Picon-Vallin, *ibidem*, p. 97 sq.
39. Cf. Franz Meyer, *Chagall, op.cit.*, p. 296-298.
40. Cf. O. Litovski, *Tak i bylo* (Cela s'est passé ainsi), Moscou, Sovietski Pissatel, 1958, p. 161-168.
41. Cf. Béatrice Picon-Vallin, *Le Théâtre juif soviétique pendant les années vingt, op.cit.*, p. 127-128.
42. Georges Yakoulov, « Ex Oriente lux. *Le Juif Eternel* ou le Second Exode des Juifs en Palestine », *in Zrélichtcha* (Spectacles), 1923, n° 43, p. 3, traduit en français dans *Notes et Documents édités par la Société de Georges Yakoulov*, n° 3, Paris, juillet 1972, p. 20-21.

Catalogue

Pierre Provoyeur

Liste des abréviations

doc. 12 :
Œuvre reproduite au catalogue et ne figurant pas à l'exposition.
Une table de ces documents avec leur légende est fournie en fin d'ouvrage.

n° 5 :
Renvoi à un numéro du catalogue, donc à une œuvre présente à
l'exposition.

362×290 :
Les dimensions, hauteur puis largeur, sont données en millimètres.

F. Meyer 1964 :
Renvoi au livre de Franz Meyer publié à Paris en 1964 : *Marc Chagall.*
Cat. ill. : renvoi à son catalogue illustré.
p. 286 : renvoi à la reproduction dans le texte p. 286.

n° 174 repr. :
Dans la rubrique expositions, signifie que l'œuvre est reproduite au
catalogue.

Collection particulière en 1964 :
Mention d'une provenance dans l'ouvrage de Franz Meyer publié à Paris en
1964, qui peut avoir changé depuis.

La découverte qu'un homme fait de lui-même en tant qu'artiste revêt un caractère profondément émouvant et mystérieux. La part que les autres y prennent est capitale et marque dès l'origine le destin du jeune créateur : absent ou présent, le spectateur de l'œuvre est associé à sa genèse. Cette assertion à figure de principe n'aurait guère d'intérêt si elle ne s'appliquait avec évidence aux premiers pas de Chagall dans le monde des formes et singulièrement à la technique qui véhicule cette prise de conscience : le dessin.

Ecriture

On sait, grâce aux Mémoires qu'il rédige très tôt et publie alors qu'il a seulement quarante-quatre ans *(Ma Vie,* Paris, 1931), que c'est à l'école officielle de Vitebsk, correspondant à notre enseignement secondaire, qu'il manifeste un étrange enthousiasme pour la géométrie, de préférence à toutes les autres matières enseignées : « Lignes, angles, triangles, carrés m'emportaient vers les lointains séduisants. Et durant les heures de dessin, seul un trône me manquait. J'étais le centre de la classe, l'objet de sa considération et son exemple... »

« Etant en cinquième, voici ce qui m'est arrivé à la leçon de dessin. Un vétéran du premier banc, celui qui m'a pincé le plus souvent, me montra soudain un dessin sur papier de soie, une copie de « Niwa » : Fumeur. En plein chaos ! Laissez-moi. Je me souviens mal, mais ce dessin qui n'était pas fait par moi, mais par ce nigaud, m'enragea immédiatement. Un chacal s'éveillait en moi. Je courus à la bibliothèque, saisis cette grosse édition de « Niwa » et me mis à copier le portrait du compositeur Rubinstein, séduit par ses pattes d'oie et ses rides, ou par une Grecque et d'autres illustrations ; peut-être aussi j'en improvisai. Tout ça, je l'accrochai dans notre chambre à coucher. J'étais familier avec tout l'argot de la rue et les autres paroles courantes, plus modestes. Mais un mot aussi fantastique, littéraire, un mot comme venu d'un autre monde, le mot artiste, oui, peut-être, je l'avais entendu, mais dans ma ville on ne l'a jamais prononcé. C'était si loin de nous ! De moi-même, je n'aurais jamais osé prononcer ce mot. Un jour je reçus la visite d'un camarade qui, après avoir observé notre chambre et aperçu aux murs mes dessins, s'exclama : — Ecoute, tu es donc un vrai artiste ? — Qu'est-ce que c'est, artiste ? Qui est

artiste ? Est-il possible que... moi aussi ?... Il est parti sans rien m'expliquer. Je me suis rappelé aussitôt que quelque part dans notre ville j'avais vu, en effet, une grande enseigne, pareille à celles des boutiques : « Ecole de peinture et de dessin du peintre Penne ». Je pensai : Le sort en est jeté. Il ne me reste qu'à entrer dans cette école, et ainsi je deviendrai artiste. Et je briserai pour toujours l'illusion qu'a ma mère de faire de moi un commis, un comptable ou, pour le mieux, un photographe bien établi. »

Outre le fait que les outils naturels de cette découverte sont le crayon et la plume de l'écolier, aux fonctions soudain détournées, il convient de s'attarder sur son lieu. En effet, Chagall aurait pu dès l'école primaire se sentir provoqué par l'encre et le papier blanc s'il n'avait été soumis à l'interdit le plus sévère, issu du milieu culturel et religieux auquel il appartenait. Sa famille le place, sans doute en 1892 ou 93, dans l'école primaire juive de Vitebsk, la *Heder,* où il reçoit l'enseignement des rabbins. Celui-ci porte sur l'alphabet et la langue hébraïque ; la calligraphie tient une place capitale, non seulement dans la pratique religieuse, mais encore dans la spiritualité juive. Odette Aslan (Paris, 1979, p. 185) souligne combien « la langue hébraïque possède un mystère propre. Elle offre une séduction, un plaisir spirituel à ceux qui, juifs ou non juifs, se plongent dans son étude (...). Notée par des consonnes qui sont aussi des nombres, permettant d'innombrables combinaisons de sens, elle semble un code à plusieurs niveaux (...). Le mystère des lettres de l'alphabet hébraïque a déjà fait rêver bien des esprits. La lettre est d'abord une image, un objet, puis elle s'abstractise, représente une idée, devient signe. Mélange d'écriture et d'expression artistique, elle comporte quelque chose de mystique, de secret, elle fait partie de la révélation. Elle procède à la fois du souffle, de la parole et de l'image. Réfléchir sur la lettre hébraïque revient à réfléchir à la création du monde. Dessiner les lettres, en parfaire la calligraphie, fut longtemps un moyen d'expression pour les dessinateurs, les peintres juifs qui n'avaient pas le droit de dessiner des images figuratives, pas le droit de faire ce que Dieu avait fait ».

Le jeune Chagall a sans nul doute été marqué, non par l'interdit, mais par ses conséquences compensatoires. Il fuit dès ses premiers dessins — autant que ce que nous en voyons aujourd'hui nous permette de l'affirmer — l'abstraction imposée par le dogme et multiplie les représentations de la figure humaine, non sans ressentir d'ailleurs les réticences de son entourage : « Mon oncle a peur de me tendre la main. On dit que je suis peintre. Si je me mettais à le dessiner ? Dieu ne le permet pas. Péché. » *(Ma vie)*

Il conserve dans sa mémoire ce premier héritage, que l'on verra reparaître pendant les années 20, au moment où Chagall produit une quantité incomparable de dessins à l'encre noire sur papier blanc, mais aussi au moment où ses amitiés dans les domaines de la littérature et du théâtre l'attirent à nouveau dans des cercles qui, pour être d'avant-garde, n'en sont pas moins nourris de culture et de mystique judaïques. Les lettres que Chagall dessine alors pour le titre du journal *Schtrom* (doc. 1) montrent bien les rapports, tantôt familiers, tantôt antagonistes, que son dessin n'a jamais cessé d'entretenir avec l'écriture et la mystique hébraïques.

Il est cependant significatif que la virtuosité de l'élève Chagall n'émeuve que ceux qui ont avec l'image un rapport immédiat, encore dénué de référence culturelle accordée à leur temps. Ces feuilles, qui paraissent merveilleuses à ses jeunes camarades, amènent l'un d'entre eux, Victor Mekler, à solliciter de Chagall des leçons de dessin et de peinture. Moins qu'à l'hommage rendu, il faut ici prêter attention au rôle que ce fils de bourgeois éclairés de Vitebsk va jouer ainsi auprès du peintre : c'est lui qui le pousse à s'installer à Saint-Pétersbourg, c'est lui qui présentera à Chagall Thea Brachman et, par elle, Bella Rosenfeld qu'il épousera. En revanche, ces mêmes feuilles ne sont pas de taille à lui ouvrir les portes des écoles d'art ; puisque c'est avec un portefeuille de dessins qu'il faut se présenter hors de chez soi à un maître, tout juste suffisent-elles à prouver la volonté de travailler et à montrer des « dispositions ».

Apprentissage

Le mot est de Jehuda Penne, à la fois terrible et banal en ce qui est encore une fin de siècle. En fait de « dispositions », il ne peut s'agir que de celles que Chagall montrera à se plier aux règles de l'enseignement académique, dont Penne est le tenant à Vitebsk. Scènes de genre et portraits n'accordent au dessin que le rôle d'esquisses préparatoires, tout juste nécessaires pour capter un réel réaliste. Les libertés et les ellipses que Chagall adopte dès 1906 portaient évidemment le dessin — et la peinture — à un autre rang.

Une huile sur carton, signalée par F. Meyer en 1964 dans une collection particulière à Moscou et datée par l'auteur 1906-07, la *Femme à la corbeille* (doc. 5), montre dès l'origine la volonté de l'artiste de rompre avec l'idée d'une formulation traditionnelle. L'arabesque d'accents et de virgules sombres, tantôt ajoutée à la peinture, tantôt recouverte, mêle le trait à la couleur dans une palpitation commune destinée à approcher la vie même. A cet égard, *Le Bal* (n° 1) ou *Le Bain rituel* (doc. 2), dans la hâte de leurs notations, revêtent une qualité suggestive toute égale.

On a pu avancer (F. Meyer 1964, p. 46) que l'irréalisme du trait s'accorde également avec l'iconoclasme judaïque, dans la mesure où il permet d'éviter que la représentation extérieure ne vienne affaiblir la réalité intérieure. Tout en souscrivant pleinement à cette interprétation, il convient de faire la part du tempérament propre de l'artiste, qui se révèle d'année en année toujours plus préoccupé par la vibration, sa signification spirituelle et poétique. C'est à cause d'elle qu'il révère Titien, Tintoret et Rembrandt, Monet enfin, et il faudra y revenir. De même Chagall s'inspire-t-il très visiblement de Gauguin — en 1908 *Le Mort* (doc. 3), en 1909 *Le Mariage* (doc. 4) — tant il est préoccupé dès l'origine par la fonction symbolique de la peinture. Là encore, les développements importants seront ceux de la période suivante.

Poursuivant ses tentatives d'entrer dans les écoles, Chagall fait l'amère expérience de la distance qui sépare son dessin de l'art nécessaire à son temps. Il manque la copie d'un plâtre lorsqu'au cours de l'hiver 1906-07 il se présente à l'Ecole d'Arts et Métiers du baron Stylitz, et se voit taxé « d'impressionnisme ». Il est reçu pourtant à l'école fondée par la Société Impériale pour la protection des Beaux-Arts. Il se contraint sans doute à dessiner selon la nature morte, la ronde-bosse et le modèle vivant. Cela lui vaut un accessit, bientôt une bourse. Mais c'est encore le dessin qui lui vaut la déception, les reproches du professeur Bobrowsky sur un genou mal représenté, et le départ volontaire de l'école. De cette période, les travaux ont disparu, dispersés par un marchand indélicat.

Si son entrée dans l'école privée de Saidenberg ne lui vaut que des leçons encore plus académiques, les relations qu'il commence à entretenir lui procurent des contacts féconds : les

doc. 1

doc. 2

doc. 3

doc. 4

du dessin, et d'insistantes références littéraires. Il conseille néanmoins à Chagall de réduire le nombre de ses couleurs, pour en augmenter l'intensité. Mais en ce qui concerne l'œuvre sur papier, il est difficile de parler d'un moment déterminant. Tout au plus peut-on imaginer que les facilités accordées aux élèves permirent à Chagall de travailler d'après le modèle vivant — on connaît trois Nus à l'aquarelle de cette époque.

Aussi les œuvres les plus intéressantes sont-elles celles que l'artiste peint à Vitebsk, lors des retours fréquents qu'il y fait (n° 5). La rencontre de Bella, à l'automne de 1909, donne à chacun de ces voyages un caractère qui n'est plus celui d'un retour à la communauté des origines. Chagall pénètre dans un monde différent, où la propre culture de son amie détermine l'origine d'un certain nombre de préoccupations nouvelles, à l'égard de la poésie et du théâtre notamment. En même temps, ses efforts pour faire connaître son travail à Saint-Pétersbourg se heurtent à l'indifférence. L'exposition de l'école Zvanseva en avril et mai 1910 — où Chagall expose *Le Mort* et le *Paysan mangeant* aujourd'hui perdu (n° 26) — ne reçoit que peu de visiteurs et un accueil scandalisé. Le propre départ de Bakst pour Paris coïncide avec la possibilité que Vinaver offre au peintre de partir en France pour quatre ans ; Chagall quitte Saint-Pétersbourg, puis Vitebsk en emportant tous ses tableaux, gouaches et dessins, dont une part de grandes scènes à caractère mythique : ainsi un dessin pour *La Crucifixion* (n° 35), une toile sur le thème de *La Sainte Famille* (1910), une *Circoncision* (1909) et une *Naissance* (1910), toutes œuvres qui vont se développer dans les compositions réalisées à Paris et donner lieu à des variations ou des déplacements sur le papier.

rédacteurs de la revue juive, mais en langue russe, *Voshod*, « Renouveau » — Vinaver, Sew, Sirkine et Pozner — l'encouragent, tout en récupérant le talent qu'ils décèlent pour servir leur cause. Grâce à eux, Chagall apprend l'existence de l'école Zvanseva, transportée en 1905 de Moscou à Saint-Pétersbourg et haut lieu de l'avant-garde dans la capitale. Léon Bakst, qui y est professeur, corrige la peinture et Dobouchinsky, le dessin.

Ce sont encore des dessins que Chagall montre à Bakst, pour solliciter le droit de suivre les cours : « ... Feuilletant mes études, qu'une à une je soulevais du parquet où je les avais entassées, il disait, traînant sur les mots avec son accent seigneurial : Ou...i, ou...i, il y a là du talent ; mais vous avez été gâ-â-ché, vous êtes sur une fau-ausse route, gâ-â-ché. » *(Ma Vie)*. On lui ouvrit néanmoins les portes de l'école, dont une des élèves, Julie Leonidovna Obolenskaïa, apporte à cette époque un témoignage précieux en notant que le travail de Chagall à l'atelier reste bien inférieur aux études peintes chez lui.

Il va de soi qu'on ne pouvait attendre de Bakst, le décorateur des *Ballets Russes* de Diaghilew et l'ami des symbolistes, autre chose qu'une théorie de la couleur libérée du cerne ou

1
Le Bal, 1907

Crayon noir sur papier beige.
288 × 220
Signé en bas à droite à l'encre noire : *Chagall 1907*.
Au dos de la feuille : Portrait d'enfant, en pied (voir doc. ci-dessous).
Crayon noir sur le même papier beige.
Non signé.

Bibliographie :
F. Meyer 1964, cat. ill. 3.

Expositions :
1953, Turin, n° 168.

Saint-Paul-de-Vence, collection de l'artiste.

Ce dessin est exécuté par Chagall alors qu'il vient d'entrer à l'école de Jehuda Penne, à Vitebsk. Le sujet s'apparente assez bien aux préoccupations du professeur, orientées vers la scène de genre, mais s'accorde encore mieux aux curiosités du jeune homme : son regard se pose d'abord sur le monde quotidien, dont les musiciens et les danseurs rompent la grisaille telle qu'en témoigne la *Femme à la corbeille* de 1906-07 (doc. 5), et le frappent profondément — à l'instar du violoniste perché sur le toit (*Le Mort*, 1908, doc. 3) ou des *Musiciens* (1907). Il s'agit d'un bal de mariage, et Chagall représente les époux à gauche, en voile et haut-de-forme solennel.

Cette composition revêt un aspect presque caricatural, dans le personnage du marié notamment, dont Chagall aime à user dès cette époque : l'*Amour* (doc. 6) montre également un couple à l'animalité triviale, qui renvoie aux deux couples de danseurs étroitement enlacés et tout occupés d'eux-mêmes, dans la partie droite de notre dessin. Dans *Le Mariage* de 1909, Chagall opposera également le couple des époux aux personnages pathétiques ou grotesques que l'amour n'emporte dans aucun autre monde, poétique ou fabuleux.

Il convient, enfin, de souligner ici l'habileté de Chagall à construire l'espace : au rythme des pas créé avec un minimum

1

de signes correspond le tournoiement du décor peint des murs. L'ensemble évoque confusément l'art de Munch, dont le symbolisme psychologique s'accorde bien à cette atmosphère, mais mieux encore certains tableaux de Van Gogh (*Le Café, la nuit*, 1888 ; *La chambre à Arles*), dont cette composition reprend les perspectives accusées par le parquet de lattes et jusqu'aux lampes suspendues au plafond.

Au verso, le croquis rapide d'enfant, dessiné sur le motif, est peut-être celui d'une sœur de l'artiste, Maroussia, dont le visage est ici très proche d'une photographie contemporaine (F. Meyer 1964, p. 25).

revers du n° 1

doc. 5

doc. 6

2
Nu Debout, 1908

Crayon sur papier crème.
305 × 207
Signé en bas à droite à l'encre : *1908 Chagall.*

Provenance :
Légué (par échange) au musée par Kay Sage Tanguy.

New York, The Museum of Modern Art.

L'année 1908 est celle au cours de laquelle Chagall, d'abord à l'école privée de Saidenberg, puis à l'école Zvanseva chez Bakst, désire peindre des nus, à l'instar de Gauguin et des « Tahitiennes », auxquelles va toute son admiration.

La sensualité, relativement absente de cette feuille, est plus présente dans une étude de 1908-09 (F. Meyer 1964, cat. ill. 11) et surtout dans le *Nu rouge relevé* de 1909 (F. Meyer 1964, repr. p. 76), pour lequel Thea Brachman a posé. On sait par ailleurs que Bella posa à son tour en 1909 et que Chagall conservait la toile dans sa chambre à Vitebsk (cf. *La Procession*, n° 5).

L'œuvre, acquise récemment par le Musée d'Art moderne de New York, constitue avant tout une recherche de mise en place. Toute la figure est observée d'en bas, et ce point de vue modifie l'anatomie du modèle au point de lui donner un caractère androgyne, qu'accusent des reprises et des repentirs nombreux.

2

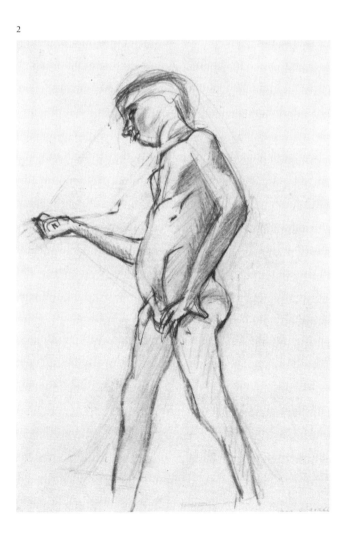

3   (en couleur p. 41)

3
Vue de Vitebsk, 1909

Crayon et gouache sur papier beige épais.
380 × 290
Signé en bas à droite en russe.

Paris, collection particulière.

Voir n° 4.

4
La Rue du village, 1909

Crayon et gouache sur papier beige épais.
288 × 380
Signé en bas à gauche en russe.

Paris, collection particulière.

La date de ces deux dessins n'est pas absolument certaine, dans la mesure où Chagall a dessiné et peint cinquante à soixante paysages de Vitebsk à son retour de Paris en 1914 et 1915, très proches de l'atmosphère de ceux-ci. Cependant, une indication précieuse nous est livrée par l'histoire de ces dessins : on sait qu'ils furent donnés à l'écrivain Pozner par l'artiste ; or, celui-ci faisait partie du cercle de Vinaver, qui aida Chagall à se rendre à Paris, et gérait la revue du renouveau juif, *Voshod :* c'est à ce moment qu'il dut l'aider et reçut donc ces deux feuilles avant 1910 et le départ pour la France. D'autre part, la série reproduite par F. Meyer en 1964 (cat. ill. 219 à 228) présente des factures très différentes, des audaces plus grandes, alors qu'ici apparaissent surtout la maîtrise du

4

crayon et l'invention étonnante du papier en réserve pour constituer la matière même, rugueuse et fruste, des façades de rondins des maisons et des couvertures de bois. La *Vue de Vitebsk* (n° 3) peut avoir été dessinée du toit : à l'horizon s'élève une église à cinq bulbes, la cathédrale ; ce type d'église apparaît dans notre dessin *Le Peintre devant la cathédrale*, de 1911 (n° 11), et ne doit pas être confondu avec une autre église, couverte d'une seule coupole, que Chagall peint en 1908 (*La Fenêtre*, F. Meyer 1964, cat. ill. 22) et qui deviendra, d'année en année, le signe auquel l'artiste assimile tout le « village » (voir, par exemple, le *Cantique des Cantiques III* peint pour le *Message Biblique* dans les années 60, doc. 66). C'est, en revanche, la cathédrale qui figure à nouveau dans les nombreuses versions du tableau *Au-dessus de Vitebsk* de 1914.

Dans ces deux dessins, la solitude et le silence frappent, malgré la présence d'une figure d'homme assis dans *La Rue du village*, ou d'une femme et d'un enfant dans la *Vue de Vitebsk*. L'impression de bout du monde que l'Occidental ressent devant ces paysages bas et ces ciels lourds va de pair avec les commentaires que Chagall lui-même fit sur sa peinture des années 1908-09 : « A Vitebsk, j'étais couleur de pomme de terre ».

5
La Procession, 1909

Crayon, plume et encre noire, rehaussé de lavis de gris et de gouache blanche, sur carton beige. Mise au carreau au crayon.
362 × 290
Signé en bas à droite à l'encre noire : *Marc Chagall 1909.*
Monté sous passe-partout fermé :
482 × 400

Bibliographie :
F. Meyer 1964, cat. ill. 108.

Expositions :
1953, Turin, n° 174 repr. ; 1959, Hambourg, n° 14.

Saint-Paul-de-Vence, collection de l'artiste.

Bien que le thème de « la procession » préoccupât Chagall depuis plusieurs mois, l'occasion d'entamer son étude lui fut donnée de façon inattendue. Il raconte comme il avait peint un nu de Bella, rencontrée pendant cette même année 1909, et avait accroché la toile dans sa chambre : « Le lendemain, ma mère entre chez moi et voit cette étude : « Qu'est-ce que c'est ? » — Une femme nue, les seins, les taches foncées. J'ai honte, elle aussi. « Enlève cette fille », dit-elle — Petite ma-

5

man, je t'aime trop. Mais... tu ne t'es jamais vue nue ? Et moi je regarde et ne fais que la dessiner. C'est tout. » Mais j'ai obéi à ma mère. J'ai enlevé la toile et, à la place de ce nu, j'ai fait un autre tableau, une procession. » (Ma Vie).

De fait, ce dessin porte un tracé au crayon qui prépare le report sur la toile. Mais le tableau définitif n'a jamais été repris tel quel de cette composition.

Il semble que Chagall se soit tout d'abord inspiré d'un dessin, *L'Enterrement à la charrette* (F. Meyer 1964, signalé p. 64, repr. p. 66), de 1908, représentant une foule animée de très expressives convulsions, emboîtant le pas au cheval que le cocher fouette et qui emporte un cercueil, posé sur une charrette.

Cette composition connaît deux variantes successives, peintes : la première, pour laquelle notre feuille constitue une étude, est *L'Enterrement* commencé à Vitebsk en 1909 mais repeint et achevé à Paris en 1914 : entre le dessin de 1908 et la version définitive de 1914, la foule a pratiquement disparu, seules subsistent trois femmes, le corps dans la charrette, le cocher et un homme tenant le cheval par le mors. La seconde est *Le Marchand de bestiaux* peint à Paris, et dont nous présentons l'esquisse sous le n° 39.

Au dessin qui nous occupe, il faut également joindre *La Foule* ou *L'Evénement* de 1908-09 (F. Meyer 1964, cat. ill. 30), dont le paysage avec l'église sera par ailleurs intégré à *L'Enterrement* de 1909-14. Ce rapprochement montre l'évidente prédilection de Chagall pour les accumulations de figures, qui vient peut-être des « théories » successives de personnages de la peinture byzantine, et dure aujourd'hui encore en prenant toute sa signification spirituelle dans les foules du *Message Biblique*. Acteur du monde, la foule en contient toute l'éner-

gie, la puissance créatrice ; rassemblée derrière le mort que la charrette emmène, elle connaît son destin — mais se retrouve aussi autour de l'enfant, promesse de vie. *La Kermesse* de 1908 (F. Meyer 1964, cat. ill. 32) et *L'Exode* de 1909 (*id.*, cat. ill. 33) concernent des thèmes semblables.

L'œuvre se rattache également au courant nocturne qui traverse la peinture de Chagall de l'automne 1909 à son départ pour Paris au milieu de 1910. *La Naissance* de 1910 (F. Meyer, repr. p. 89) se déroule à la lueur fuligineuse d'une lampe, devant des fenêtres obscures, dans une atmosphère délibérément citée de Rembrandt, pour lequel le peintre éprouve déjà une attirance revendiquée. Ici, une chandelle occupe le tout premier plan, son rayonnement accuse les traits des visages, les plis des vêtements. Pour obtenir ces contrastes d'ombre et de lumière, Chagall laisse en réserve de larges espaces de papier, pratique qu'il avait inaugurée en 1908 dans son *Cimetière*, dont les pierres tombales étaient faites de la toile en réserve. Apparaissent, enfin, les hachures en noir, que l'artiste utilisera largement à partir de 1914, et l'intervention d'éléments étrangers, comme pointillés et traits sur le personnage central, ou l'arc lumineux aux pieds des figures, séparant le lecteur des prières de ses auditeurs.

6
La sœur Anna, 1910

Crayon et aquarelle sur papier brun.
200 × 260
Signé en bas à gauche à l'encre : *Chagall* ; en bas à droite à l'encre : *ma sœur* (en russe) *910*.

Bibliographie :
F. Meyer 1964, cat. ill. 177.

Los Angeles, collection G. et M. Pinkus.

Cette feuille est associée par F. Meyer au groupe des portraits des membres de la famille de Chagall et de leur cercle de familiers, réalisé après le retour de Paris de 1914 à 1917. Mais il conserve la date de 1910, que la facture relativement naturaliste du dessin et les traits du modèle comparés à la photographie contemporaine (F. Meyer 1964, p. 25) appuient solidement.

6 (en couleur p. 42)

Aniouta est le second enfant de la famille de Zahar Chagall. Son frère la représente au travail et accorde les caractères modeste du décor et pénible de la tâche à la rusticité du papier employé. Dans cette austère construction de gris et de brun éclatent les couleurs, pourtant assourdies, des étoffes, de l'eau, d'un bol. Le rideau, digne d'un drapé de Bakst, accompagne rayures et semis en évoquant fortement les compositions de Vuillard.

7
Autoportrait, 1910

Plume et encre noire sur papier crème.
147 × 131
Signé en bas à l'encre noire : *Chagall 1910*.
Monté sous passe-partout fermé.

Bibliographie :
F. Meyer 1964, repr. p. 166.

Saint-Paul-de-Vence, collection de l'artiste.

Parmi les premiers autoportraits de Chagall, très peu ont cette fraîcheur et cette gravité mêlées. Il est difficile d'affirmer que celui-ci a été dessiné avant ou après l'arrivée de l'artiste à Paris, mais il est de toute façon beaucoup moins scolaire que l'autoportrait de 1907 (F. Meyer 1964, cat. ill. 1) et dénué de l'ambition symbolique de l'*Autoportrait aux pinceaux* de 1909-10 *(id.*, cat. ill. 24) ; Chagall manifeste dans ces esquisses à la plume une légèreté de main que *Le Bain rituel* (doc. 2) ou, dès 1907, *Le Bal* (n° 1) montraient déjà, en y ajoutant ici une lumière très contrastée et en assombrissant délibérément ses yeux clairs. C'est sans doute ce regard interrogateur qui fait de l'œuvre une variation sur le « Qui suis-je ? » déjà cité de *Ma Vie* (cf. introduction à ce chapitre) et renvoie, en outre, le spectateur à lui-même.

7

Aux quatre journées de train qui séparaient alors Vitebsk de Paris — moins, il est vrai, que les cultures et l'Histoire — s'ajoutaient la difficulté que Chagall éprouvait à communiquer en français, les inquiétudes d'une nouvelle installation et les sollicitations brutales d'un paysage aussi nouveau que mythique. La présence de quelques amis russes, l'endurance que l'artiste avait acquise au cours des mois de lutte précédents n'expliquent pas seuls son insertion presque immédiate dans le monde artistique parisien. La force intérieure qui anime l'homme étonne l'observateur et s'impose au spectateur de l'œuvre. C'est elle qui nourrit tableaux, gouaches et dessins d'un même flux d'énergies, au point de rendre vaine toute tentative de donner à l'une ou l'autre de ces techniques une importance autonome. Les travaux de cette période sont d'une homogénéité frappante, liés les uns aux autres par la structure, la couleur et les thèmes. En particulier, la place privilégiée qu'occupent les gouaches ne pouvait être escamotée.

Violence

Pour André Breton qui analyse en 1945 dans *Le Surréalisme et la Peinture* (p. 89) la première période parisienne de Chagall, elle est celle de « l'explosion lyrique totale ». Son jugement, éclairé par le recul dont il bénéficiait déjà devant l'œuvre, diffère de l'attitude des surréalistes, Ernst, Eluard et Gala qui avaient invité Chagall à les rejoindre en 1924. Le discours poétique — qu'il accusa un moment de mysticisme — lui paraissait en fin de compte moins frappant que la dynamique des tableaux. En contenant le caractère « lyrique » de cette peinture entre les deux termes d'une « explosion totale », il n'oubliait pas que les œuvres entretiennent avec le langage à la fois poétique et musical un rapport étroit dès cette époque. Mais quel contraste avec l'appréciation de Bakst, qui ne vit que la musique lorsqu'il rendit visite à Chagall en juin 1911 : « Maintenant, vos couleurs chantent » dit-il, affaiblissant un art du choc dans une simple recherche formelle. Blaise Cendrars était plus près du vrai peintre lorsqu'il s'écriait en 1913, dans *La Prose du Transsibérien et de la petite Jeanne de France* : « Comme mon ami Chagall, je pourrais faire une série de tableaux déments ».

Une gouache, *La Récolte*, une huile, *Le Sabbat*, toutes deux de 1910, témoignent du chemin parcouru : soudain dans l'œuvre, la couleur fauve, l'éblouissante lumière. Une toile de 1911, *Le Pont de Passy et la Tour Eiffel*, n'est qu'une irradiation à partir du monument, élevé comme un défi et tenu par Chagall, assure Franz Meyer, pour un véritable « faisceau d'énergies ascendantes » (1914, p. 109).

La plus violente de ces œuvres est peut-être l'étrange toile de 1911, *Dédié à ma fiancée* (doc. 7), en ce qu'elle allie à la fournaise des couleurs, le rouge et le jaune soutachés de noirs, un thème faunesque. Les quelques gouaches (nᵒˢ 17 à 22) que nous montrons ici, des *Nus* essentiellement, couvrent ces

doc. 7 Chagall

quatre années et sont habitées par la même sensualité primitive à laquelle s'accorde la palette et le rythme. La violence toute crue est le propre sujet du *Caïn et Abel* (n° 33) de 1911 et l'étonnement provoqué par l'entrechoc d'une forme, d'une couleur et d'un récit mythique, précipités de surcroît dans le quotidien, atteint un vrai sommet dans l'*Adam* et *Eve* de 1910 (n° 29).

doc. 9

Couleur. Noir et blanc

Il ne peut guère être question de frontière entre peinture et dessin devant les œuvres de cette époque. Chagall prépare *La Pluie* en 1911 par « un dessin rouge et jaune au pinceau » ; la *Femme couchée* de 1910 est enlevée en blanc sur le fond noir créé d'une brosse chargée (doc. 8), comme si blanc et noir étaient « déjà colorés ». Que ce soit à la gouache ou à l'encre de Chine, Chagall réserve au papier un rôle égal à celui d'une couleur et d'une matière. A cet égard, l'*Adam et Eve* de 1910 est une œuvre capitale, tant les deux couleurs des fruits échangent avec les noirs, les blancs et le fond des vibrations colorées égales en intensité et en chaleur.

Les gouaches les plus colorées révèlent presque toujours un emploi du blanc et du noir fondamental dans la composition : le *Nu* de 1913 (n° 21), le *Nu au peigne* de 1911-12 (n° 20) trouvent leur assise ou leur rythme dans le noir. Aussi les passages de la gouache au dessin ou inversement se font-ils sans aucune perte de cette violence précédemment décrite : Les *Maternités* de 1911 (dessin) et 1912-13 (gouache) sont un exemple de cette communication ouverte entre les deux types de technique.

Il faut ajouter que Chagall, en 1913 par exemple avec *Le Repas du paysan* (n° 26), donne à ses noirs des matières différentes par un jeu de hachures, de variations sur le trait, l'aplat, les passages. Ces recherches débouchent sur les applications de dentelle de la période suivante (n°ˢ 65 à 68) et auraient pu provoquer l'apparition de collages plus nombreux (n° 72). On doit, enfin, rappeler que le noir peut envahir toute la feuille et qu'alors émergent du fond de la nuit des personnages fanto-

matiques, ultime emploi du noir comme couleur peinte (*Rue le soir*, 1914, doc. 9). L'étrangeté de ces œuvres vient aussi de leur proximité avec la planche imprimée, qu'elles ont préparée d'ailleurs pour quatre d'entre elles montrées ici : *Le Repas du paysan* (n° 26), *Maternité* (n° 38), *Le Saoul* (doc. 10) et *Nu à l'éventail* (n° 27).

La force de ces têtes et de ces corps, où peinture et cernes colorés se trouvent étroitement mêlés, évoque naturellement les visages tout aussi violents de l'expressionnisme allemand. Comment ne pas penser à Jawlenski devant la *Tête au nimbe* (n° 16) ? De fait, l'exposition monographique qu'Herwarth Walden consacre à Chagall en mai 1914 à Berlin s'inscrit très à propos dans l'activité de la galerie, largement ouverte comme sa revue *Der Sturm* à l'avant-garde allemande. On peut même avancer que cette violence de la couleur s'est imposée au public germanique comme la composante essentielle de l'art du peintre et que si, parmi les 160 gouaches, aquarelles et dessins que Chagall a laissés à son marchand en 1914, très peu restent à son retour à Berlin en 1922, c'est d'abord parce que pour cette peinture il y avait une clientèle, celle de l'expressionnisme auquel pourtant Chagall n'appartient nullement.

Construction

Ce rapport entre Chagall et l'avant-garde est donc une fois encore l'effet d'une coïncidence, plutôt qu'un engagement délibéré, à l'image de celle qui s'était déjà produite entre l'art du peintre et le cubisme.

La Procession (n° 5) montrait clairement dès 1909, et bien avant le départ pour Paris, un parti de schématisation angulaire dont le prétexte pouvait être l'éclairage artificiel, mais dont on sentait bien qu'il était d'abord un choix de construction. Seul l'exemple de Cézanne, connu dès le début du siècle des collectionneurs moscovites, pouvait avoir joué un rôle dans cette invention. De fait, Franz Meyer (1964, p. 112) parle à propos du style du peintre d'Aix et de son importance pour Chagall d'« une sorte de champ magnétique dont le rayonnement, sensible dès ses dernières œuvres russes, l'aida à mûrir mais dont l'importance réelle ne se révéla qu'alors, quelques mois après l'arrivée du peintre à Paris. C'est par cette irradiation et non par telle influence formelle déterminée que se traduit l'essentiel des rapports de Chagall avec l'avant-garde parisienne entre 1910 et 1914 ».

doc. 8

Reste donc la volonté de construction, que Chagall lui-même (propos tenus en 1957) associe à la mystique des icônes et à la mystique hassidique pour constituer les éléments essentiels de son art. De fait, celle-ci apparaît très évidente dans les *Nus* gouachés — le *Nu au peigne* de 1911-12 reprenant, en outre, une palette cubiste — mais bien plus encore dans les grandes compositions : *Adam et Eve* et *Golgotha* pour l'étude desquelles les dessins préparatoires (nos 32 et 36) représentent une très précieuse documentation. Le noir sur le papier remplit alors sa fonction traditionnelle d'étude, tantôt plus libre comme l'étonnant contrejour pour *A la Russie, aux ânes et aux autres* (nº 28), tantôt poussé jusqu'à la couleur dans l'esquisse pour *l'Autoportrait aux sept doigts* (nº 12).

La volonté de donner une structure à cette couleur pousse Chagall à se préoccuper de son équilibre dans le tableau. Risque-t-elle d'irradier avec trop de véhémence — *Dédié à ma fiancée* (doc. 7) — il borde la toile incandescente d'un bois plat qu'il peint en noir et jaune ; ainsi *L'Odalisque* (nº 24) est-elle montée par l'artiste lui-même pour l'exposition chez Walden sur trois papiers de couleurs différentes, limitant et excitant tout à la fois celles de la composition.

Mais couleur et structure ne suffiraient pas à faire un tableau, ou un dessin ; ce qu'entendait Chagall par les « mystiques » doit être compris comme entrant dans un autre type de construction, psychique celle-là, dans laquelle compte aussi bien le souvenir qu'une réflexion nouvelle.

Mémoire

L'art de Chagall est largement un art de la nostalgie, à tous les moments de sa vie ; celle-ci s'applique soit au pays qu'il vient de quitter pour un autre, soit à l'œuvre qui, achevée depuis longtemps parfois, l'a quitté à son tour mais hante encore son esprit. Le travail du moment se nourrit donc du travail passé et son étude requiert une attention très aiguë portée à l'évolution de chaque forme et de chaque thème.

Encore faut-il bien distinguer lequel de ces deux éléments composant l'œuvre est affecté par la nostalgie que nous évoquons : il s'agit essentiellement du second, car la forme, elle, est infléchie par toutes les observations que Chagall fait de la peinture à Paris. Il déclare ceci : « Participant à cette unique révolution technique de l'art en France, je retournai en pensée, dans mon âme pour ainsi dire, dans mon propre pays. Je vécus en tournant le dos à ce qui se trouvait devant moi » — comprenons les paysages de Paris, la réalité de sa vie quotidienne en tant que modèle, le sujet pris sur le motif. Et s'exprimant de façon plus claire encore : « J'ai apporté mes objets de Russie » — thème — « et Paris leur a donné sa lumière » — forme. L'artiste s'exprime, dans le premier de ces propos, en pensant à son *Autoportrait aux sept doigts,* dont nous présentons deux esquisses sur papier (nos 12 et 13). Dans les deux œuvres, il tourne effectivement le dos à sa fenêtre, par laquelle on aperçoit Paris et son symbole-fétiche, la Tour Eiffel. Mais surtout dans le tableau final (doc. 11) il inscrit en haut en yiddish les deux noms Paris et Russie, comme une invocation tutélaire, correspondant aux deux paysages de la cité française et de sa ville natale. Il inscrit à nouveau cette opposition de Paris et de la Russie dans l'esquisse pour *Adam et Eve* (collection Edersheim, Los Angeles, nº 31) que cette exposition permet de présenter pour la première fois. La mention est d'autant plus intéressante que toute l'interprétation du tableau en fait un poème de mystère de la dualité dans chaque chose : Paris et la Russie s'opposent, comme le réel ou le vécu, et le rêve ou le passé, dont les deux parties colorées distinctes du tableau sont les équivalents. *Le Peintre devant la cathédrale de Vitebsk* (nº 11) est, bien entendu, dès 1911 un précieux témoignage de cette nostalgie, qui fait le titre de la grande composition de 1911 : *A la Russie, aux ânes et aux autres.*

Aux thèmes russes se mêlent ceux du ghetto : *le Sabbat* de 1910, *Le Shofar* de 1911, *La Veille du Grand Pardon*, notre *Juif assis devant une table* (nº 25) et surtout *La Prisée* de 1912, qui non seulement est le fruit d'un souvenir profondément inscrit dans la mémoire de Chagall, mais qui en tant que tableau deviendra à son tour la source de la gouache présentée ici (voir nº 100 et doc. 57) et datée 1923-24, c'est-à-dire au moment où Chagall a quitté pour la seconde fois la Russie et vient de s'installer à Paris.

« Ainsi, note Franz Meyer (1964, p. 206), la plupart des œuvres parisiennes furent-elles un coup d'œil en arrière ». Il est vrai que le milieu de la Ruche où vivait Chagall était propice aux rencontres d'amis russes — Bakst et Vinaver, ses appuis d'autrefois, venaient le voir, avec bien d'autres. Le contact n'était pas coupé et de nouvelles amitiés vont même préparer l'avenir : c'est à la Ruche que Chagall rencontre Lounatcharsky, qui l'aidera à son tour pendant la Révolution soviétique. Enfin et par dessus tout, Chagall a laissé au pays sa fiancée : la nostalgie si sensible dans l'œuvre de ces quatre années est donc toute habitée du désir et de la certitude du retour.

Mystères

Le miracle est que cette peinture ne soit pas tombée alors dans le folklore, mais se soit, au contraire, reconstruite autour d'une réflexion de nature spirituelle et philosophique. Tous les grands tableaux de cette période sont des allégories de la vie, même lorsqu'ils paraissent biographiques comme la seconde version de *La Naissance ;* les très nombreux *Adam et Eve,* auxquels doit être associé le *Caïn et Abel* (nº 33) ; *Golgotha* et *Le Marchand de bestiaux,* les *Maternités* dont les *Saintes Familles* sont des variantes, les secondes versions du *Mort,* du *Mariage,* de *La Naissance,* de *L'Enterrement.* Tous renvoient, non seulement à la création mais aussi à sa destruction : meurtre, mort, crucifixion. On développe plus amplement à propos de l'*Adam et Eve,* devenu l'*Hommage à Apollinaire,* cette constante dans l'art de Chagall : la dualité de toutes choses au monde, l'association complémentaire des contraires qui pourrait être tenue pour une clé de l'analyse de l'œuvre entier. Insistons simplement pour le moment sur cette évidence : ces années parisiennes ne sont pas celles d'un peintre russe en quête d'exotisme, mais bien d'un esprit préoccupé dès l'origine des fins dernières de l'homme et du mystère de sa présence au monde. Chagall, qui a vingt-sept ans en 1914, manifeste en cela une gravité et une persévérance qui forcent la réflexion.

En effet, l'intérêt de sa démarche ne se limite pas à une eschatologie appliquée à la peinture, et à leur mise en accord. Il réside aussi dans la volonté de joindre au mystère de la création de l'homme, ou à travers le récit mythique d'Adam et Eve, celui de la création de l'œuvre — peinture ou poème — par l'artiste, tel que le véhicule par exemple l'autoportrait ; à cet égard, l'*Autoportrait aux sept doigts* et *Paris par la fenêtre* répondent aux portraits d'Apollinaire (n⁰ˢ 34 et documents en rapport) et du *Poète Mazin* pour se développer dans des compositions où figure cette fois l'archétype du poète et une expression plastique du caractère exceptionnel de sa présence au monde. *Le Poète ou Half Past Three* et *Le Saint Voiturier*, tous deux peints en 1911, donnent à un sujet somme toute classique des expressions étonnamment nouvelles.

Chagall avait peint dans son époque fauve et les premiers mois de son séjour à Paris un *Mars et Vénus*, plus tard un *Orphée* (1913-14) ; il déclare à ce propos : « J'ai voulu alors me mesurer et renouer avec la tradition », ce que l'on aurait pu dire du Douanier Rousseau lorsque reprenant l'*Inspiration du poète* de Poussin au Louvre il peint Apollinaire, Marie Laurencin à ses côtés en Muse. Cependant, le parcours que Chagall fait de l'exemple ancien au tableau nouveau n'est pas la reprise pure et simple de la tradition : il s'agit bel et bien d'un choix, dans cette tradition, de sujets qui conviennent à sa préoccupation profonde, d'un nouveau contenu attribué par le peintre à ces figures de la mythologie antique ou, surtout, biblique. Et d'ajouter : « On ne doit pas partir du symbole mais y aboutir ».

Berlin 1914

On a mentionné plus haut l'heureuse coïncidence entre les recherches de Chagall et celle de l'avant-garde allemande : l'énergie des compositions et des couleurs, l'abondance des figures transposées dans l'univers de la peinture, une violence et une liberté totales la rendaient possible, même si au fond la

doc. 10

démarche n'était pas celle d'un Kirchner ou d'un Schmitt-Rottluf. Si, comme le déclare Chagall dans *Ma Vie*, « le soleil de l'art ne brillait alors qu'à Paris », il ne réchauffa guère le peintre, plus recherché des poètes et des connaisseurs que des marchands.

Nell Walden, présente à Paris avec son mari en 1912, se souvient de « Marc Chagall, encore un jeune homme alors avec des yeux extraordinairement clairs et des cheveux bouclés, idolâtré par les amis parisiens comme un enfant prodige ». Cette « idolâtrie » porta néanmoins Apollinaire à présenter le peintre, en mars 1912, à Herwarth Walden qui l'invita aussitôt à participer au premier « Salon d'Automne allemand » dans sa galerie de Berlin. *Dédié à ma fiancée, A la Russie, aux ânes et aux autres* et *Golgotha* y furent exposés et ce dernier tableau acheté par le Berlinois Köhler. De si heureux débuts portèrent le marchand à la récidive : sa vingt-quatrième exposition du 15 avril 1914 regroupe des œuvres de Paul Klee et Marc Chagall, la vingt-cinquième au mois de mai suivant l'associe à Kubin. Enfin, la vingt-sixième exposition lui est entièrement consacrée, pendant tout le mois de juin 1914. Parallèlement, la revue de la galerie, *Der Sturm*, publie en couverture du n⁰ 6 du 15 avril 1914 un dessin de Chagall de 1913 (doc. 10) qui n'est autre que la reprise de l'huile de 1911-12 : la peinture est ici génératrice du dessin, mais sa force se communique tout naturellement au noir et au blanc, pour fournir une composition capable de supporter le support nouveau et redoutable d'une simple couverture de journal. C'est elle que saluera en 1919 Kurt Schwitters dans son poème (reproduit en tête de ce volume), signe de l'intérêt que l'avant-garde allemande porte alors à Chagall. Suivront, en mai 1917, les quatre dessins déjà réalisés au cours du séjour à Paris, destinés au même transfert, dont deux ont pu être joints à ce rassemblement : *Maternité* et *Le Repas du paysan* (n⁰ˢ 37 et 26), les deux autres étant un *Tête de vieillard juif* et un *Violoniste*, tous quatre également repris de peintures précédentes. Enfin, en février 1918, paraît le *Nu à l'éventail* (n⁰ 27), à rattacher à la série des gouaches de 1910-14 et présenté comme les précédents dans cette période stylistique.

L'exposition de Berlin coïncide avec le retour en Russie, en juin 1914. Sur fond de guerre en Europe, Chagall retrouve Bella. Fort d'une expérience artistique déterminante, il revoit, offertes à ses yeux, les images des siens, de la ville : tableaux et dessins issus de la mémoire — dont beaucoup sont restés chez Walden — sont désormais les absents, tandis que figurent devant lui à nouveau les modèles.

Cat. nº 3   Vue de Vitebsk, 1909

Cat. n° 6   La sœur Anna, 1910

Cat. nº 15   Autoportrait, 1913

Cat. n° 18   Nu au bras levé, 1911

Cat. nº 29   Adam et Eve, 1910

Cat. nº 12   Esquisse pour l'Autoportrait aux sept doigts, 1911

Cat. n° 17   Femme au peigne, 1911 ?

Cat. nᵒ 16   Tête au nimbe, 1911

48

Cat. nº 20   Nu au peigne, 1911-12

Cat. nº 21   Nu, 1913

Cat. nº 24   L'Odalisque, 1913-14

Cat. nº 31   Etude pour Adam et Eve (Hommage à Apollinaire), 1912

Cat. n° 33   Caïn et Abel, 1911

Cat. nº 37   Russie ou Maternité, 1912-13

Cat. nº 34 Portrait d'Apollinaire, 1913-14

Cat. nº 39   Le Marchand de bestiaux, 1912

8
Waslaw Nijinsky, 1911

Plume et encre noire, rehauts de gouache sur papier blanc.
213 × 132
Non signé.

Provenance :
Donné au musée par Edward M.M. Warburg.

New York, The Museum of Modern Art.

Le sujet de cette œuvre renvoie aux leçons que Chagall prit chez Léon Bakst en 1910 à Moscou : « Dans l'atelier, parmi les élèves, la comtesse Tolstoï, le danseur Nijinsky. Je suis de nouveau intimidé. J'avais entendu dire que Nijinsky était un danseur déjà célèbre et qu'on l'avait congédié du Théâtre Impérial rien que pour sa mise audacieuse. Son chevalet est placé à côté du mien. Il dessine un peu maladroitement, comme un enfant. Lorsqu'il s'approchait de lui, Bakst se contentait de sourire, en le frappant légèrement à l'épaule. Nijinsky me souriait à moi aussi, comme s'il voulait encourager mes audaces, dont je ne me rendais pas compte. Cela nous a rapproché davantage ». *(Ma Vie)*

Ce premier contact devait connaître une suite lorsque Chagall, installé à Paris, se rendit au théâtre pour y voir Bakst et Nijinsky dans les ballets montés par Diaghilev : « A peine la porte des coulisses ouverte, j'aperçus de loin Bakst. Du roux et du rose me souriaient avec bienveillance. Nijinsky accourt, me secouant par les épaules. Mais déjà il s'élance vers la scène où l'attend Karsawina : on donnait *Le Spectre de la Rose*. Paternellement, Bakst l'arrête. « Wazia, attends, viens ici ». Et il lui arrange sa large cravate. D'Annunzio, près de lui, petit, moustaches fines, flirte tendrement avec Ida Rubinstein ». *(Ma Vie)*

8

Le costume porté par le danseur est précisément celui que dessina Bakst pour le ballet inspiré du poème de Théophile Gauthier, *Le Spectre de la Rose*, mis en musique par Berlioz. Le croquis, rapide et allusif, s'inscrit dans un encadrement ovale que Chagall affectionnera particulièrement (cf. n° 49), et témoigne de l'attention que le peintre portera toujours à la danse, comme synthèse entre image et son, tout autant que des amitiés solides qu'il entretient à Paris avec les plus célèbres de ses compatriotes, à peine installé dans la capitale. La rapidité du croquis, sinon pris sur le vif, au moins fait de mémoire après le spectacle, appuie la date proposée : probablement le tout début de 1911, *Le Spectre de la Rose* ayant été créé par les Ballets Russes en 1910 (Lifar, 1966).

9
Autoportrait à l'atelier, 1911

Aquarelle au pinceau et lavis sur papier blanc.
133 × 205
Signé en bas à droite à l'encre noire : *Chagall 1911* ; au-dessus de la date à droite : 𝔏

Bibliographie :
F. Meyer 1964, cat. ill. 96 ; J. Lassaigne 1968, repr. p. 22-23.

Saint-Paul-de-Vence, collection de l'artiste.

Cet autoportrait montre l'artiste dans l'atelier, en réalité l'une des deux chambres que lui avait prêtées le peintre Ehrenbourg au n° 18 de l'impasse du Maine (impasse Bourdelle) dans le quartier de Montparnasse ; l'autre chambre, sous-louée, lui permettait de vivre.

Il existe un tableau à l'huile de ce même espace (F. Meyer 1964, p. 98, propriété de l'artiste), qui montre une disposition tout à fait semblable, et révèle la conversion de Chagall aux couleurs crues du fauvisme. Le dessin frappe, au contraire, par la discrétion de la palette. Alors qu'au fond du tableau figure, accroché au mur, *Ma fiancée aux gants noirs* de 1909, c'est ici *A la Russie, aux ânes et aux autres* de 1911-12 qui occupe le chevalet.

Il n'est pas interdit de penser que Chagall ait voulu évoquer une table ou un dessus de cheminée sur lequel un miroir est posé, renvoyant au peintre l'image qu'il nous montre à son tour. La main semble inviter à entrer dans l'atelier et désigne l'œuvre en cours, attribut de l'artiste à l'instar des tableaux

9

dont Poussin, par exemple, accompagne son propre portrait (Musée du Louvre). La lampe à pétrole se retrouve dans une *Nature morte à la lampe* (1910) et sur le lit de *L'Atelier* (1910). Ce dessin a été fait peu avant le départ de Chagall pour la Ruche.

10
Autoportrait, 1911

Aquarelle au pinceau et lavis sur papier blanc.
195 × 226
Signé au pinceau en bas à droite : *Chagall 911*.

Provenance :
Entré dans les collections du musée en 1972.

Jérusalem, The Israël Museum.

Ce portrait, que le catalogue établi par Franz Meyer en 1964 ne signalait pas, frappe par l'autorité du visage. Chagall dégage d'un pinceau ferme et rapide des ombres et des lumières en triangles ou en réseaux. Il reprend en même temps la tradition du visage tourné dans le sens opposé à celui qu'adopte le regard, moyen éprouvé de donner vie à la figure. La rapidité de la notation relève ici totalement du dessin.

11
Le Peintre devant la cathédrale de Vitebsk, 1911

Crayon, plume et encre noire, lavis de gris, rehauts de gouache blanche, mise au carreau à l'encre, sur papier crème collé en plein sur carton.
171 × 230
Signé en bas à gauche au crayon : *Chagall* ; au milieu, à l'encre noire : *Chagall Vitebsk* ; à droite, à l'encre noire : *1911*.

Bibliographie :
F. Meyer 1964, cat. ill. 164.

Saint-Paul-de-Vence, collection de l'artiste.

La date inscrite à la plume : *1914* a été corrigée en *1911*, mais le *4* subsiste à droite. Le dessin précédent s'accorde avec celui-ci au moins quant à l'esprit : trouvant ses sujets dans le souvenir de sa ville natale, Chagall se représente hantant les rues, plus grand que les bâtiments et l'église eux-mêmes, le regard porté vers le ciel ; le dessin est ainsi à rapprocher d'une part, des paysages à l'église de 1911-12, très nombreux et le plus souvent peints à la gouache, d'autre part des scènes nocturnes — *Prière dans la nuit, Le Somnambule, Pleine Lune* — de la même période. La mise au carreau de la composition annonce un tableau, qui semble néanmoins ne jamais avoir été peint. Tout au plus peut-on en rapprocher la toile *Au-dessus de Vitebsk* de 1914, aussitôt réalisée après le retour en Russie (F. Meyer 1964, p. 233) ; mais si la cathédrale et la maison au long toit blanc s'y retrouvent, le peintre cède la place au moujik à la besace, volant au-dessus de la ville. Ce type de paysage, repris dans d'innombrables œuvres, devient le signe même du souvenir, une façon de personnage au même titre que la chèvre ou le couple, et renvoie au paysage de l'enfance tel que Chagall le voyait de la maison familiale : « Alentour, des églises, des clôtures, des boutiques, des synagogues, simples et éternelles, comme les bâtiments sur les fresques de Giotto ». *(Ma Vie)*

10

11

12
Esquisse pour l'Autoportrait aux sept doigts, 1911 ?

Crayon et gouache sur papier.
200 × 230
Signé en bas à gauche à l'encre : *Marc Chagall*

Bâle, collection Marcus Diener

La datation des œuvres de la période parisienne, en l'absence d'indications précises de l'artiste, a invité les commentateurs à les regrouper en familles baptisées « 1911 » ou « 1913-14 ». Cette feuille, où figure en bonne place le tableau *A la Russie, aux ânes et aux autres*, peut être datée de l'époque à laquelle Chagall y travaillait, 1911-12. Le tableau définitif (doc. 11) est évidemment postérieur, mais n'a pas été daté par Franz Meyer. Il est présenté en 1914 au Salon des Indépendants, et ne devait donc pas être prêt en 1912, au moment où Chagall expose pour la première fois au Salon, ni en 1913 lorsqu'il y expose la seconde version de *La Naissance* et l'*Adam et Eve*. Entre cette esquisse et la version peinte, il pourrait donc s'être écoulé un laps de temps important.

C'est ici le premier autoportrait où Chagall montre une volonté allégorique allant bien au-delà du traditionnel portrait au chevalet. Malgré quelques essais précédents plus réalistes (n° 9), il ne cherche pas à représenter son atelier, alors encore situé rue du Maine — on aperçoit ici la table et la lampe déjà présentes — mais bien son travail proprement dit, dont la palette et le chevalet sont les outils, comme l'étaient les pinceaux dans l'autoportrait de 1909-10 (F. Meyer 1964, cat. ill.

24). Le visage, assez proche des dessins rapides de 1910 (n° 7) ou 1913 (n° 15), est juvénile, mangé par un œil démesuré, souligné d'ombre à la façon du portrait précédent (n° 15), tandis que le plancher, le mur à droite et le brun au fond constituent des accents très forts dans la composition.

Les trois « tableaux - dans-le-tableau » sont déjà présents : Paris, dont on aperçoit la Tour Eiffel, est le paysage réel auquel Chagall est chaque jour confronté mais auquel — nous l'avons montré en introduction à cette période — il tourne délibérément le dos. La laitière et la vache sur le chevalet appartiennent au tableau qui se fait. Vitebsk, dont on reconnaît l'église à coupole, semble une autre peinture accrochée au mur de l'atelier, mais deviendra dans la version définitive une apparition au milieu des nuages, inspiratrice du peintre par le truchement de sa mémoire.

Chagall n'a pas encore « trouvé » l'idée surprenante de la main à sept doigts qui guide le pinceau dans la version peinte de 1914, et qui place l'artiste dans le domaine du surnaturel dont parlait Apollinaire à son propos. Le visage lui-même demeure humain, tandis que le portrait peint, aux yeux à demi révulsés, est plutôt celui d'une figure mythique.

12   (en couleur p. 46)

doc. 11

13
Esquisse pour l'Autoportrait aux sept doigts, 1911

Crayon sur papier crème (feuille détachée d'un carnet, le bord dentelé en bas).
195 × 172
Non signé.

Provenance :
Donné par l'artiste à Blaise Cendrars entre 1912 et 1914.

Paris, collection particulière.

13

L'esquisse n'a évidemment pas été faite pour Cendrars, mais tirée des cartons de l'artiste pour lui être offerte, après 1912, année au cours de laquelle le poète se rend dans l'atelier de Chagall à la Ruche (voir nᵒˢ 19 et 34).

Elle est présentée pour la première fois, ainsi que le carnet d'esquisses dont une est délibérément cubiste (nᵒ 19). Il semble que cette feuille soit postérieure à l'esquisse précédente (nᵒ 12), tant la figure qui émerge du réseau des lignes est proche de la feuille de la collection Diener. Il paraît évident que Chagall a fait naître les courbes et les cercles qui tourbillonnent autour de son propre portrait de la palette, de l'épaule, de la cuisse et du visage. Au réseau des obliques correspond celui des carreaux de la fenêtre au fond ; enfin, des hachures viennent suggérer des colorations possibles.

Cette esquisse a eu si peu d'avenir dans la toile finale (doc. 11) qu'elle apparaît comme un jeu, une aventure cubiste où Chagall se révèle néanmoins un virtuose, peut-être plus futuriste ici, d'ailleurs, qu'à proprement parler cubiste. Le dessin a en tout état de cause l'intérêt de nous permettre de surprendre au travail un Chagall qui ne laisse aucune direction inexplorée.

14
Femme, 1911 ?

Encre noire au pinceau et à la plume sur papier.
287 × 200
Signé en haut à droite à l'encre noire : *Chagall.*

Bibliographie :
F. Meyer 1964, p. 132.

Paris, collection Guy Loudmer.

14

Bien qu'elle ne soit pas datée, F. Meyer reproduit cette feuille dans le chapitre de son livre consacré aux premiers mois que Chagall passa à Paris — en regard de la reproduction du tableau *A ma fiancée* de 1911, où le personnage principal adopte la même attitude du visage appuyé sur la main. Le titre donné traditionnellement à la feuille ne semble convenir qu'à peu près au sujet, où l'on verrait volontiers le portrait d'un poète, voire de l'artiste lui-même.

La technique (pinceau et plume) permet une rapidité de trait dont découle le dynamisme de l'œuvre entière. La mise en page audacieuse — le résultat d'un découpage ? — donne une force supplémentaire à cette figure rêveuse.

15
Autoportrait, 1913

Plume et encre noire, aquarelle sur papier crème.
210 × 170
Signé en bas à droite : *Chagall* (en russe) *Paris 13.*

Bibliographie :
F. Meyer 1964, cat. ill. 95.

Bâle, collection Marcus Diener.

Dernier autoportrait de la période parisienne présenté ici, il est contemporain de la grande toile, l'*Autoportrait aux sept doigts* (doc. 11), et très lié quant au style à l'esquisse de 1911 (nᵒ 12) et au portrait de 1910. Chagall y apparaît comme le décrit Nell Walden en 1912 : « un jeune homme avec des yeux extraordinairement clairs et des cheveux bouclés », à la fois ingénu et décidé.

15 (en couleur p. 43)

16
Tête au nimbe, 1911

Gouache sur papier brun, marouflé sur toile.
205 × 185
Signé en bas à droite : *Marc Chagall 1911.*

Bibliographie :
F. Meyer 1964, cat. ill. 123.

Paris, collection particulière.

Si l'on accepte la date inscrite sur l'œuvre, cette *Tête* appartiendrait à un premier groupe de figures exécutées dès l'arrivée de Chagall à Paris. Cette appartenance est dans le cas présent tout à fait vraisemblable, tant l'œuvre est proche d'une gouache « fauve » de 1910, *La Récolte* (F. Meyer 1964, p. 97), où le blanc appliqué à coups de brosse rageurs joue le même rôle de détonateur par rapport aux autres couleurs.

Quant au sujet, il est intéressant à deux égards au moins : d'une part, Chagall reprend un motif religieux avec le nimbe ; le contraste frappe entre la référence à quelque figure de saint

— probablement issue de la peinture religieuse et peut-être du Louvre que Chagall visite à cette époque assidûment — et la violence grimaçante de la tête. D'autre part, le visage associe une face et un profil — très nettement visible, celui-ci partageant l'œil droit avec la face. Ce thème des deux visages en un seul resurgit fréquemment dans l'art de Chagall, jusqu'à connaître une véritable signification spirituelle dans le *Message Biblique* de Nice : Adam et Eve sont ainsi solidarisés, comme David et Bethsabée dans une lithographie pour le livre de Tériade, *Dessins pour la Bible* (doc. 12), éléments conjugués d'une réalité pourtant antinomique. On se trouve ici devant une première formulation de cette préoccupation de réconciliation des extrêmes.

17
Femme au peigne, 1911 ?

Encre et gouache sur papier.
265 × 200
Signé en bas à droite à l'encre : *Chagall.*

Provenance :
John Cowles ; vente Christie's, New York, 16.11.83, n° 134.

Bâle, collection Marcus Diener.

Ce dessin présente de telles similitudes stylistiques avec le précédent qu'il est difficile de ne pas y voir une œuvre contemporaine : même mélange de la plume et du pinceau, même violence du trait affirmé en coudes, en accents, en virgules et bâtons. Bien que l'on ne soit pas ici dans le domaine des gouaches, l'autorité est la même. Nous proposons donc de maintenir cette œuvre, quoique très graphique, dans le groupe des œuvres parisiennes, non loin des autoportraits à la plume et des nus de femmes très nombreux à partir de 1911.

16 (en couleur p. 48)

doc. 12

17 (en couleur p. 47)

Le sujet est lui-même très important pour bien situer l'œuvre dans le travail de l'artiste ; la première version jusqu'ici connue d'une femme se coiffant — sujet proche des « femmes à la toilette » de l'art autant ancien que moderne — est une huile sur toile de 1910 (F. Meyer 1964, cat. ill. n° 34), peinte avant le départ pour Paris : une femme debout lisse ses cheveux d'une main et se peigne de l'autre, devant un homme, assis à une table, et un bassin d'eau. Dès l'arrivée à Paris, datée 1910-11 (F. Meyer 1964, cat. ill. n° 52), Chagall donne une gouache fauve, *Femme à sa toilette*, brossée à traits noirs et couleurs vives. Une composition de 1911, *Le Peigne* (F. Meyer 1964, cat. ill. n° 72), manifeste des libertés nouvelles avec le sujet : l'accessoire a quitté la main de la femme et vole au-dessus de sa tête tandis qu'une vache passe la tête par la fenêtre. De même date, le *Nu au peigne* à la gouache (notre n° 20) reste malgré la construction une lisible variation sur le thème. Un ultime *Nu* de 1911 reprend le geste de se coiffer, mais comme épuré dans la soumission du sujet au réseau cubiste des lignes. Après quoi, l'examen de l'œuvre connu permet de constater la disparition du thème, remplacé en quelque sorte par celui de la femme à l'éventail (1911, 1913-14, puis 1927-28) et de la danseuse (n° 23).

L'association des deux femmes, l'une habillée, l'autre nue, le peigne planté droit dans la chevelure, le lit que suggèrent peut-être les volutes et les carreaux d'une hypothétique fenêtre n'étouffent nullement dans l'anecdote la saveur légèrement sensuelle et provocante de l'œuvre, bien accordée aux *Nus* suivants.

18 (en couleur p. 44)

18
Nu au bras levé, 1911

Gouache sur papier brun.
285 × 190
Signé en bas à droite à l'encre noire : *Chagall Paris 911.*

Provenance :
Galerie Beyeler, Bâle.

Bibliographie :
F. Meyer 1964, p. 119.

Expositions :
1969-70, Paris, n° 22 repr. ; 1975, New York, n° 3 repr.

Paris, collection particulière.

Dans la quasi-obsession qui habite Chagall dès 1911 et concerne le paradis perdu, l'*Adam et Eve* (n° 32) en étant l'aboutissement, une part doit être faite à l'intérêt que l'artiste porte au nu. Ce sujet, classique s'il en fut, donne lieu aux plus nombreuses variations que nous ayons conservées, et présente quelques constantes qu'il nous faut dès à présent dégager.

Puisque de paradis il est question, la nature prend une importance variable mais permanente dans le tableau ou le dessin. Fleurs, fruits, arbres viennent peupler ces compositions et accompagner les femmes, arabesques ou bouffées de couleurs et de lumière opposées à l'architecture des corps mais associées par essence à leur volupté.

Ensuite, avec une persévérance qui va des *Nus* aux *Danseuses* en passant par les *Femmes à l'éventail*, les recherches de Chagall s'appliquent à l'évidence au mouvement qu'il peut

doc. 13

doc. 14

imprimer à ces corps et, partant, à toute la gouache. Le *Nu au bras levé* est significatif de cette construction hélicoïdale, qui à partir des bustes articule les deux bras dans des torsions contraires. Il ne faut sans doute pas voir ailleurs la raison du choix du thème du peigne, la femme se coiffant justifiant ainsi ce bras plié au-dessus de sa tête. Notons que Chagall, beaucoup plus tard, donnera au même bras replié autour de la tête une fonction représentative du sommeil, en pensant à la *Vénus de Giorgione* à Dresde (doc. 13) et modifiera donc du tout au tout, non seulement le discours, mais aussi la dynamique propre de l'œuvre : les spirales que décrivent les deux bras autour du torse évoluent vers l'extérieur de la composition, alors que le bras replié autour de la tête engendre une spirale centrifuge ; autant les gouaches de 1911-14 sont-elles productrices d'énergie, autant les compositions plus tardives se-crètent-elles une atmosphère pensive et toute intérieure (n° 14).

A cette énergie solaire est associée une couleur flamboyante que vient exciter ici un très fort contraste de blancs et de noirs, en taches de lumière et cernes puissants.

19
Deux nus debout, 1912-13

Crayon et encre sur papier crème, deux feuilles reliées d'un carnet de cinquante-huit feuillets.
Le carnet fermé : 140 × 90
Signé sur la page de droite, au tiers inférieur à droite, à l'encre : *Ch.*

Provenance :
Carnet donné par l'artiste à Blaise Cendrars entre 1912 et 1914.

Paris, collection particulière.

L'amitié fut vive entre Marc Chagall et Blaise Cendrars. Le poète rencontra le peintre au retour de son voyage en Russie — d'où devait naître *La Prose du Transsibérien et de la petite Jeanne de France* (1913) que nous évoquons également sous le n° 34 — très tôt donc parmi ceux qui rencontrèrent Chagall : « Le premier, il est venu chez moi, à la Ruche. Il me lisait ses poèmes, regardant par la fenêtre ouverte et dans mes yeux souriait à mes toiles et tous deux nous rigolions. » *(Ma Vie)*

Ce carnet est un témoignage de cette amitié, à la fois de la part de Chagall qui se sépara d'un objet intime, et de celle de Cendrars qui conserva fidèlement ce qui ne peut apparaître comme une œuvre achevée. Nul doute qu'il attachait à ces feuilles l'intérêt et la fascination que l'on peut éprouver pour l'œuvre qui se fait.

Les feuilles, une à une, reprennent un même nu, modèle plutôt pathétique dont Chagall dut disposer avec ses voisins de la Ruche, puisque Alfred Boucher, qui l'avait fait construire, procurait aussi à ses locataires quelques moyens de travailler ; certaines feuilles portent, en effet, des esquisses d'hommes et de femmes travaillant devant le modèle.

La succession de ces pages est d'autant plus passionnante que l'on voit parfois Chagall s'inspirer des croquis voisins pour modifier son dessin : c'est ce qui se passe ici, où à gauche il dessine un nu passablement naturaliste, et recompose à droite une figure du cubisme le plus orthodoxe, en utilisant l'encre avec application et autorité, ainsi que des réseaux de hachures soigneusement répartis. Le bord droit de la figure est décomposé en lignes de construction, en rythme pur. Cette feuille est, par ailleurs, la seule qui soit signée dans le carnet, témoignage sans doute de la satisfaction de l'artiste.

Chagall réitère cette tentative de transformation cubiste de sa forme dans l'esquisse, également offerte à Cendrars, de l'*Autoportrait aux sept doigts* (n° 13). Il est donc intéressant de voir le poète recevoir de son ami peintre des dessins marqués en grande partie par l'art alors dominant dans l'avant-garde à Paris, et dont Chagall pourtant essaya plutôt de se démarquer.

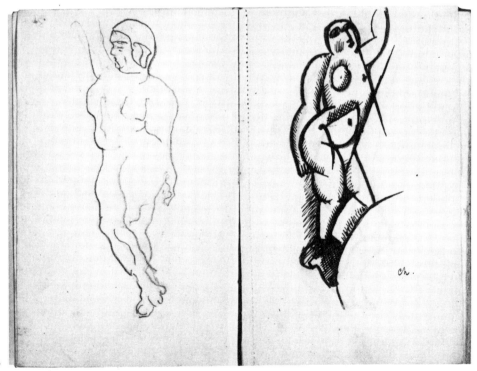

19

20 (en couleur p. 49)

21 (en couleur p. 50)

20
Nu au peigne, 1911-12

Plume et encre noire, gouache sur papier brun.
335 × 235
Signé en haut à gauche à l'encre : *Chagall* ; en bas à droite : *Chagall*.

Bibliographie :
F. Meyer 1964, cat. ill. 88.

Expositions :
1969-70, Paris, n° 21 repr.

Paris, collection particulière.

Autant le *Nu au bras levé* de 1911 était issu de la période fauve de Chagall, autant celui-ci s'inscrit-il dans ses recherches cubistes et l'avant-garde parisienne des années 1911-12. La palette d'ocres, de beiges et de gris-verts, soulignés de noirs en accents résolument tirés au trait, est proche de celle de ses contemporains Braque et Picasso.

Cette géométrie est cependant tempérée par des rondeurs bienvenues : la tête, les seins, le genou, la hanche large et jusqu'à l'astre qui apparaît en haut à droite. A la révolution des bras répond l'engrenage des jambes et l'inclinaison de la tête, l'ensemble constituant une formidable machine mue, non par quelque mécanique propre, mais par la couleur - lumière : Chagall compose ici un nu en mouvement, à l'instar de Marcel Duchamp peignant son *Nu descendant un escalier*.

21
Nu, 1913

Gouache sur papier.
340 × 240
Signé en bas à droite : *Chagall Paris 913.*

Provenance :
Collection Ida Bienert, Dresde ; galerie Marlborough Fine Art Ltd, Londres ; acquis en 1967.

Bibliographie :
F. Meyer 1964, repr. p. 216.

Expositions :
1959, Hambourg, Kunstverein, n° 196 ; 1959, Munich, n° 196 ; 1959, Paris, n° 196 : 1966, Londres, n° 9 ; 1967, Cologne, n° 49, p. 29 ; 1975, Brême, n° 4 ; 1975, Lugano, n° 130 ; 1976, Tokyo, Kobe, Fikuoka ; 1977, Bruxelles, n° 8 ; 1978, Paris, n° 8.

Lugano, collection Thyssen-Bornemisza.

Tout accessoire a disparu de cette composition : ni fruits, ni peigne, mais une seule figure, masculine cette fois, comme l'étaient les deux corps d'Abel et de Caïn (1911, n° 33). La schématisation portée à son comble s'appuie sur un contraste violent de jaune et de noir, d'où jaillissent les yeux de chat de cette créature saisie d'une transe panique. De la même époque datent deux nus, *Nu fantastique* inscrit dans un ovale et *Nu en mouvement* (1913), engoncés dans le cadre de la feuille, très proches de l'esprit de celui-ci et comme lui asservis à l'idée de mouvement.

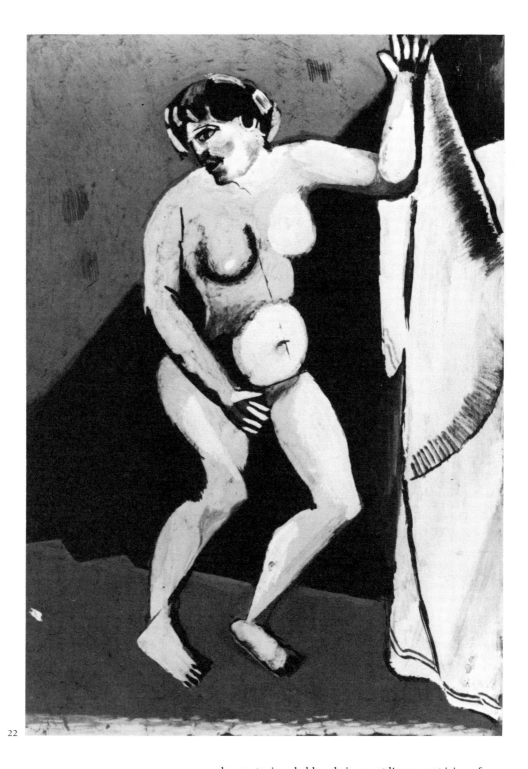

22

22
Nu debout, 1913

Gouache sur papier fort brun.
340 × 240
Signé en bas à droite : *Chagall.*

Berne, collection E.W. Kornfeld.

Le rapprochement que nous suscitons ici entre le carnet d'esquisses de 1912-13 (n° 19) et cette gouache permet de suivre
le travail de Chagall sur les nus et l'arabesque. Le modèle du
peintre pourrait bien être celui du carnet, pour cette figure en
pied. Le très grand intérêt de cette œuvre vient aussi de la
façon dont Chagall utilise une gamme de tons très réduite

pour la construire : le bleu, le jaune et l'ocre sont ici confrontés au noir et au blanc — le fond et la sortie de bain — que l'on
retrouve ensuite pour créer le modelé du corps, source d'ombre et de lumière. Un reflet blanc est d'ailleurs projeté sur ce
nu par le drap.

Enfin, la ligne plusieurs fois brisée du corps — les genoux
vers la droite, la tête vers la gauche, le mouvement d'hélice
amorcé par les bras — témoigne de cette recherche du mouvement qu'accompagne le choc des grandes surfaces de couleur et du noir en fond. La tête elle-même, bien peu féminine,
est à rapprocher des têtes très massives du carnet. L'ensemble
de la composition joue avec la tentation cubiste sans se dépar-
tir de l'humanité caractéristique de l'artiste.

24   (en couleur p. 51)

23

23
La Danseuse, 1913

Gouache sur papier.
190 × 170
Signé en bas, au milieu, à l'encre : *Chagall Paris 913*

Bâle, collection Marcus Diener.

A l'instar des figures à la gouache de 1913, celle-ci est animée d'un mouvement qui semble devoir la déplacer hors de la feuille, et non plus d'un mouvement sur elle-même comme le *Nu au peigne* de 1911-12. Chagall adopte le thème du danseur, tout indiqué pour les identifier. Son intérêt pour la danse, dont on peut déceler l'origine dans ses émerveillements devant les rabbins dansant devant l'Arche, dans la tradition hassidique, s'accroît à Moscou — où il a pour voisin d'atelier, nous l'avons vu, Nijinsky en personne — et aboutit à New York en 1942, avec la création de son premier ballet sous la direction chorégraphique de Leonid Massine.

Une *Femme à l'éventail* de 1911, une *Danseuse* de 1913 déboucheront en 1928 sur la *Danse* (F. Meyer 1964, cat. ill. 501) de 1927-28 et la transformation du thème dans les très nombreux *Cirques* et *Acrobates* des années postérieures.

Si les bras, blancs sur le noir, contribuent à agiter la figure, ils comptent moins que la ligne noire qui dessine une spirale autour des jambes de la femme et l'entraîne. Enfin apparaît le collier, moins un nouvel accessoire de la féminité que l'occasion de parsemer là aussi quelques points blancs propres à faire vibrer la composition (voir *L'Odalisque*, nº 24).

24
L'Odalisque, 1913-14

Plume et encre noire, aquarelle sur papier brun.
202 × 290
Signé en bas à droite à la gouache blanche : *Chagall.*
Montage sur 3 feuilles de papier de soie de couleurs différentes, composé par l'artiste.

Berne, collection E.W. Kornfeld.

Dès 1911, Chagall représente des *Nus* couchés, *Femme à l'éventail, Nu à l'éventail* (F. Meyer 1964, cat. ill. 56 et 85) et en 1912 un *Nu allongé* (F. Meyer 1964, cat. ill. 154) très proche de celui-ci. Aucun, néanmoins, ne témoigne autant de la somptuosité et de la sensualité dont l'artiste nourrit ses œuvres à cette époque : figure barbare parée des atours de la féminité — bijoux comme des dents et dents comme des pierres éclatantes — dans une jungle primitive qui n'est pas sans évoquer les forêts du Douanier Rousseau.

Il est significatif que cette œuvre ait été présentée en Allemagne par Walden en 1914 : le dessin est toujours monté sous sa bordure de trois tons destinée à exalter les ocres de la chair et les rouges flamboyants. Il porte un numéro 43, correspondant à une liste du marchand — l'exposition de Berlin ne comportait pas de catalogue — et l'on sait que Chagall monta ainsi lui-même d'autres œuvres. Nous avons signalé un encadrement réalisé par l'artiste, en couleurs, pour la peinture *Dédié à ma fiancée* de 1911. Le *Nu fantastique* de 1913-14 (F. Meyer 1964, cat. ill. 152) peut être vu comme une série de cadres ovales emboîtés les uns dans les autres. Le *Nu à l'arbre* de 1911 (F. Meyer 1964, cat. ill. 91) a été peint, puis la feuille couverte de la même gouache jusqu'à isoler la créature au milieu d'une fenêtre qu'elle semble soutenir.

Enfin, dans le même style « à bordure », le *Nu assis* de 1911-12 (F. Meyer 1964, p. 181) montre sur un fond de gouache blanche un corps dont les lignes noires sont accusées par l'encadrement du même ton sombre, largement brossé sur trois côtés.

La part du trait est ici plus importante que dans les gouaches en général, la matière plus légère et comme excitée d'autant d'accents qu'il y a de détails : feuilles et fleurs, perles, ongles. L'œuvre, somme toute plus dessinée que peinte, garde pourtant la force d'une peinture monumentale et la figure, une grandeur mythique.

25

25
Juif assis devant une table, 1912-14

Gouache sur papier.
240 × 235
Signé en bas à droite à l'encre.

Bâle, collection Marcus Diener.

La floraison des *Nus* dont les œuvres précédentes sont le témoignage va de pair, de 1912 à 1914, avec l'étude d'un grand nombre de figures juives parmi lesquelles cette gouache, encore inconnue en 1964, est un très bel exemple.

Ces figures sont tirées du souvenir du ghetto de Vitebsk, des fêtes et des prières à la synagogue, du spectacle de la rue et des intérieurs familiers dont l'autobiographie *Ma vie* est à chaque page animée. De cette époque datent deux études pour *La Prisée* (n° 100) et plusieurs portraits d'hommes. Il est frappant de constater, à travers toutes ces esquisses, à quel point l'homme est lié à la terre et à la vie quotidienne, tandis que la femme est élevée au rang d'une créature mythique (cf. n° 24).

Le chemin parcouru depuis *Le Bal* (n° 1) est évident, et manifeste une libération encore plus grande vis-à-vis de la perspective — les mêmes lattes de plancher sont ici résolument verticales, comme le plateau de la table —, et les personnages sont isolés dans un rapport sans aucun caractère anecdotique : la solitude de l'homme noir au premier plan, en seule compagnie d'un chien pathétique et humoristique à la fois, les deux figures affrontées au fond, la nature morte dispersée aux quatre vents, tout contribue à vider ces éléments de composition d'un discours ethnologique, religieux ou social, pour constituer un portrait purement psychique.

26
Le Repas du paysan ou Paysant mangeant, 1913

Plume et encre noire sur papier blanc.
285 × 222
Signé en bas à droite : *Chagall*.

Provenance :
En 1964, dans une collection particulière en Hollande.

Bibliographie :
F. Meyer 1964, repr. p. 190.

Bâle, collection Marcus Diener.

Une gouache de 1912, *La Cuillerée de lait* (doc. 15) est à rapprocher d'une autre gouache, *Homme mangeant* (collection particulière, Paris, F. Meyer 1964, cat. ill. 124), pour tenter de reconstituer la genèse de ce dessin à l'encre de Chine si maîtrisé. Le motif n'est pas ici juif mais russe, l'épaisseur et la

26

doc. 15

rusticité du personnage s'accordant aux contrastes du noir et du blanc.

D'autres dessins à l'encre noire sur papier blanc sont contemporains de celui-ci : *Le Saoul de 1913* (doc. 10) ou la *Tête de vieillard juif.* La *Maternité* (n° 38), le *Violoniste* (F. Meyer 1964, p. 202) ou le *Nu à l'éventail* (n° 27) sont un peu antérieurs et datent de 1911. Tous ont préparé la venue de gouaches et de tableaux, tous ont surtout fourni les modèles d'illustrations pour *Der Sturm,* la revue de Walden à Berlin, tant leurs contrastes convenaient à l'illustration, même médiocrement imprimée. Parmi eux, *Le Repas du paysan* a probablement l'origine la plus ancienne puisque, dès 1909-10, Chagall peint un *Paysan mangeant,* qui n'a pas été retrouvé (F. Meyer 1964, p. 87) mais avait figuré du 20 avril au 9 mai 1910 à l'exposition de l'école Zvanseva à Saint-Petersbourg sous le n° 5 ; il nous en reste une caricature d'élève ainsi que le commentaire de Madame Obolenskaïa qui rapporte que « le toit de la maison était vert, les vêtements du paysan gris, le sol lilas, l'harmonie d'ensemble plutôt diffuse » (F. Meyer 1964, p. 93 et note 6). Il en va tout autrement dans la version dessinée plus tardive.

27
Nu à l'éventail, 1910-11

Plume et encre noire sur papier blanc, rehaut de gouache blanche.
225 × 212
Signé en bas à droite en blanc, en partie recouvert par l'encre noire : *Chagall Paris,* et plus bas à droite, en noir : *Chagall.*

Bibliographie :
F. Meyer 1964, repr. p. 176.

Bâle, collection E.W. Kornfeld.

Donné à *Der Sturm* pour ses couvertures, probablement avec les autres en 1914, ce dessin ne paraît qu'en février 1918. Il se rattache à la série des *Nus à l'éventail* et aux compositions à

27

schéma hélicoïdal, articulé ici de surcroît sur la diagonale et sur un axe qui, passant par tout le corps, réunit le torse tourné vers la droite et la tête vers la gauche. Le système d'aplats et de hachures lie le fond clair du papier à la nuit dont Chagall veut faire émerger la créature, sans pour autant noircir complètement la feuille.

28
Esquisse pour A la Russie, aux ânes et aux autres, 1911

Encre noire sur papier.
210 × 172

Paris, collection Guy Loudmer.

L'une des toutes premières grandes compositions de Chagall à Paris trouve son origine, non seulement dans la gouache déjà signalée en 1964 (F. Meyer, cat. ill. 80, collection particulière, Munich), mais sans doute aussi dans le croquis rendu au jour depuis peu et présenté ici. Il est ainsi possible de suivre en trois étapes le processus de création du tableau et de rendre au dessin la part qui lui revient dans celui-ci.

A la Russie, aux ânes et aux autres, aujourd'hui propriété du Musée national d'art moderne à Paris, représente un état important des recherches de l'artiste sur le thème des « nuits ». Le tableau comme la gouache sont composés à partir des noirs et bleus profonds du ciel ; à la même époque, des gouaches ou des tableaux significatifs l'accompagnent : *Village russe de la lune* (titre imaginé par Chagall et Blaise Cendrars) ou *Pleine lune.* Dans cet ordre d'idées, notre feuille est le négatif de l'œuvre définitive puisqu'ici les figures se détachent en noir sur un ciel clair. Le dessin témoigne donc vraiment d'une idée à l'état naissant.

28

La tête de la laitière n'est, en effet, pas encore affectée par la célèbre séparation, tandis que la gouache est le lieu et le moment de cette invention. Le bras, le corps et la tête vivent cependant déjà de façon indépendante. Le village russe n'apparaît, lui, que dans le tableau final. Comme dans la *Femme couchée* de 1910 (doc. 8), le noir et le papier cru sont utilisés ici comme deux couleurs, dans un rapport d'affrontement qui est celui du jour et de la nuit, et tout autant de la réalité et de la fiction poétique.

29 (en couleur p. 45)

29
Adam et Eve, 1910

Aquarelle sur papier brun.
200 × 290
Signé en bas à droite à l'encre noire : *1910 M. Chagall.*

Provenance :
Perls Galleries, New York

Expositions :
1982, Stockholm, n° 4 repr.

New York, collection Phyllis et Leonard Greenberg.

L'autorité des noirs sur le papier brun, l'éclat des touches de blanc, la course rapide du pinceau sur la feuille associée à de subites délicatesses comme le décor de la nappe ou les feuilles encore accrochées au fruit tendu par la femme, annoncent, au moment même de l'arrivée de Chagall à Paris, bien des évolutions futures de son dessin.

Boutade que ce titre de l'Ancien Testament pour une scène de la vie quotidienne, caricaturale et apparemment dépourvue de tragique ? Les travaux qu'il mènera bientôt sur l'*Adam et Eve* de 1911 donnent un relief particulier à ce syncrétisme entre le biblique et le familier. Bien qu'on ne puisse voir ici une première version du grand travail à venir (cf. numéros suivants), il va de soi que ce dessin témoigne d'une préoccupation de nature spirituelle et non anecdotique, à valeur délibérément universelle.

30
Etude pour Adam et Eve
(Hommage à Apollinaire), 1911-12

Gouache sur papier, découpé au format ovale.
275 × 240
Signé à la gouache blanche sur le pourtour inférieur à gauche : *Marc* ; à droite : *Chagall 1911-12.*

Bibliographie :
F. Meyer 1964, repr. p. 152 en haut à gauche.

Expositions :
1975, New York, n° 8 repr.

Paris, collection particulière.

Cette esquisse s'accorde à la suite des *Nus* de 1911-14, et constitue un nouvel exemple de l'accent mis par Chagall sur l'alliance de la créature humaine et de la nature. Néanmoins, une composition qui pouvait paraître païenne dans les cas du *Nu au bras levé* de 1911 (n° 18) ou de *L'Odalisque* de 1913-14 (n° 24) devient ici totalement spirituelle, non seulement en ce qu'elle est expressément citée de l'Ancien Testament, mais aussi — et surtout — parce qu'elle implique une réflexion sur

30

les mystères de la nature et sur la présence de l'homme au monde.

La *Naissance* de 1910 et les deux de 1911 (F. Meyer 1964, pp. 89, 105 et 124) montrent assez à quel point la création de l'homme préoccupe le jeune artiste. Il faut y joindre le *Mariage* de 1909 et la *Noce* de 1910, préludes à l'union des époux, sans oublier a contrario que la mort est également présente, de façon obsessionnelle, dans l'œuvre de ce temps. Ainsi les deux pôles de la vie sont-ils associés au même rang des préoccupations de Chagall, et l'on ne doit pas perdre de vue ce dialogue si l'ont veut aller au fond de son projet de peintre.

La nature montrée ici n'est donc plus la forêt du Douanier Rousseau, que nous citions à propos de *L'Odalisque,* mais bel et bien le Paradis Terrestre, puisque la créature à gauche offre le fruit à sa partie droite et qu'une façon de serpent déroule dans l'herbe des anneaux allusifs et bel et bien présents.

Aussi le titre surprend-il moins le spectateur occidental, nourri de culture judéo-chrétienne, que la formulation de la Tentation : de quelle imagination est issu ce double torse pourvu d'un sexe féminin et de deux jambes ? Provoquant la réflexion devant une figure aussi libre qu'inusitée, Chagall nous invite à voir dans la créature humaine, d'abord unique puis divisée en deux êtres antagonistes et complémentaires, le premier mystère de la nature, celui de la dualité qui habite toute chose.

La caricature n'est pas éloignée de cette gouache, les visages conservent une grimace humaine comme la nature, un charme un peu décoratif. La suite des esquisses, de plus en plus dessinée, gomme ces premiers traits.

31
Etude pour Adam et Eve
(Hommage à Apollinaire), 1912

Crayon, plume et encre, aquarelle sur papier, monté dans un passe-partout fermé.
248 × 203
Signé en bas à droite à l'encre noire : *Marc Chagall 1912* ; au dos, esquisse pour *Golgotha* (voir doc. 22) ; inscription en bas au crayon, en russe.

New York, collection M. et Mme Hans S. Edersheim.

Cette gouache, jusqu'ici inédite, capitale dans le processus de préparation du tableau, montre une évolution importante qu'avait déjà annoncée une autre gouache, connue celle-ci en 1964 (doc. 16). Dans cette œuvre disparaît, en effet, le paysage, réduit à quelques feuilles à gauche.

Une importance nouvelle était donnée à la forme, au cœur en particulier, qui n'est que la réduction et la simplification des créatures enlacées : la taille pour la pointe, les épaules pour les lobes. Ainsi se trouvait livrée l'explication de la composition de ces deux torses.

L'esquisse de la collection Edersheim témoigne d'une nouvelle progression vers l'essentiel, et contient des éléments nouveaux : le paysage de forêt est réduit à un tapis d'herbe semé de fleurs. Le ciel prend une place importante, que quelques vapeurs à droite viennent préciser. La nuit et le jour s'affrontent, lune et couleur sombre à droite, lumière éclatante à gauche. Le fruit a disparu, mais, en revanche, la figure est devenue mâle et femelle à la fois. Surtout, la composition est partagée en ciel et terre, homme et femme, réel et souvenir auxquels correspondent les mots de *Paris* — où Chagall vit à

31   (en couleur p. 52)

cette époque — et de *Russie*, opposés comme les heures d'une horloge symbolique que vient appuyer l'inscription des chiffres 9, 10, 11 et 12 sur le bord de la forme circulaire. Enfin, l'œuvre est importante également pour le dessin qu'elle représente au dos, esquisse pour *Golgotha* que nous commentons sous le n° 35. L'inscription aux pieds du double personnage n'a pu être déchiffrée.

32
Etude pour Adam et Eve
(Hommage à Apollinaire), 1911

Crayon sur papier blanc (feuille d'un carnet).
335 × 255
Signé en bas à droite au crayon : *Chagall, 1911 Paris.*
Au dos, deux esquisses à la plume et à l'encre bleue, avec indications de couleurs en russe.

Bibliographie :
F. Meyer 1964, repr. p. 152 en bas à gauche.

Expositions :
1953, Turin, n° 180 repr.

Saint-Paul-de-Vence, collection de l'artiste.

Les gouaches précédentes, outre leur grande valeur plastique, sont précieuses pour apprécier le chemin parcouru par l'artiste dans sa création, et ce premier aboutissement qui fonde le tableau final.

Ce sont encore les *Nus* qui livrent ici une clé pour déceler dans la composition circulaire, en gestation dans les deux numéros précédents, non pas une irradiation de cercles concentriques, mais une spirale, qui est donc une forme en mouvement. Elle s'accorde à la recherche que Chagall menait avec le *Nu au bras levé* (n° 18) où les bras, comme dans le *Nu au peigne* (n° 20), balayaient l'air dans un mouvement hélicoïdal.

doc. 16

32

doc. 17

doc. 18

Ici, les bras sont tous dirigés vers le centre du couple, le fruit offert, le ventre. C'est donc à ces lignes qu'est confié le rôle d'emporter la composition.

Pour mieux la faire tourner, Chagall crayonne des hachures auprès de chacune des diagonales, sur un seul côté. Un rectangle, aux proportions de la feuille, enserre la figure, et repose sur la base d'un triangle formé par les diagonales : l'ensemble rappelle fortement le célèbre dessin de l'*Homme idéal* de Léonard. Néanmoins, le cercle et la croix ne sont pas là pour définir les lois d'une géométrie naturelle, mais bien pour inscrire ce couple originel dans l'univers : l'esquisse suivante (doc. 17) et surtout le tableau (doc. 18) éclairent évidemment toute l'entreprise.

Le partage de la créature, homme et femme, est situé dans l'espace abstrait d'une spirale que les couleurs, plus que les lignes, font tourner, mais qui est perçue tout d'abord comme cercle : terre, cellule originelle suspendue dans le ciel que Chagall désigne par la présence de nuages et d'oiseaux en bas à droite. Ce monde est lui-même partagé entre les couleurs incandescentes de la moitié supérieure et les blancs et bleus de la partie inférieure. On reste proche de l'idée du jour et de la nuit, mais aussi du matériel et de l'immatériel. Le dialogue Paris-Russie sur la diagonale a disparu ; en revanche, subsistent les chiffres de l'esquisse Edersheim, faisant de la spirale l'horloge cosmique et plaçant l'homme et la femme comme ses aiguilles, au cœur du temps.

Au revers de la feuille, Chagall a préparé deux autres tableaux, l'un très proche du *Saoul* de 1911-12, l'autre des *Naissances* dont Chagall traite trois fois le thème à cette époque (doc. ci-contre).

33
Caïn et Abel, 1911

Gouache sur papier.
220 × 285
Signé en haut à droite à l'encre noire : *Chagall 911*.

Bibliographie :
F. Meyer 1964, cat. ill. 94.

Expositions :
1969-70, Paris, n° 24 repr. ; 1975, New York, n° 6 repr.

Paris, collection Ida Chagall.

33 (en couleur p. 53)

On peut rattacher cette gouache à l'ensemble présenté ici de deux façons : en tant que récit biblique et dans la mesure où le noir et le blanc fondent la composition.

L'*Adam et Eve* de 1911 associe plusieurs thèmes : celui du dédoublement de la créature, celui de la créature-mesure de l'univers, celui de la Chute ; le tableau évoque enfin la conjonction des sexes et l'union, source de vie. A ce dernier égard, *Caïn et Abel* en est le pendant antinomique.

La gouache est, en réalité, le récit d'un meurtre, la version violente du *Mort* de 1909, portée à l'extrême par la nudité primitive des deux hommes que vient appuyer la composition zébrée que Chagall a inventée pour le fond. Ce motif presque décoratif, « africain », est construit dans une perspective très relevée, à l'instar du *Bal* de 1907 et du *Juif assis devant une table* de 1912-14 (nᵒˢ 1 et 25) ; non pas décor mais équivalent plastique de la tragédie qui se déroule, il frappe l'imagination de façon bien plus efficace que l'anecdotique mâchoire d'âne, que Chagall a réduite à deux traits à peine visibles. Les visages sont dessinés dans un style plus proche de la première esquisse pour *Adam et Eve* (nᵒ 30), qui appuie la datation proposée au début de la période parisienne.

34
Portrait d'Apollinaire, 1913-14

Encre violette à la plume et au pinceau, rehauts d'aquarelle sur papier crème.
278 × 215
Signé en bas à droite à l'encre violette : *M. Chagall.*
En haut, au crayon : trois mots (en russe ?) illisibles.
Au dos du montage : *1914.*

Bibliographie :
F. Meyer 1964, cat. ill. 121.

Saint-Paul-de-Vence, collection de l'artiste.

Chagall dédie en 1914 son *Adam et Eve* à Apollinaire, hommage d'un artiste qui équivaut à une reconnaissance : Apollinaire et Chagall se sont trouvés à un moment de leur vie et de leur carrière. Il est vrai que, pour l'artiste, le poète en général était un modèle familier : *Le Poète Mazin* de 1911-12 (F. Meyer 1964, p. 108), *Le Saint Voiturier*, 1911-12 (doc. sous le nᵒ 54) qui n'est qu'une variante du thème, enfin et surtout *Le Poète ou Half Past Three*, 1911 (doc. 19) qui constitue une peinture magistrale de la série, en témoignent. Il est surtout important de rappeler que Chagall écrivait déjà lui-même des poèmes à cette époque, même s'il ne montrait pas ses œuvres. Enfin on sait qu'outre Apollinaire, Blaise Cendrars entretint dans ces années parisiennes une forte amitié avec Chagall, et qu'il composa pour lui et sur son art le quatrième *Poème élastique* en octobre 1913 *(Portrait* et *Atelier).*

Chagall rencontra Apollinaire en 1911 et *Ma Vie* reflète les impressions que le poète laissa au peintre : « Il sortait de sa chambre d'angle, souriait peu à peu de toute sa large face. Son nez s'aiguisait farouchement et ses yeux doux et mystérieux chantaient la volupté. Il portait son ventre comme un recueil d'œuvres complètes et ses jambes gesticulaient comme des bras. »

Mais, au-delà de l'homme et du poète, il y avait sa place dans l'Histoire, que Chagall perçoit dès ses années parisiennes : « En vers, en chiffres, en syllabes courantes, il traçait pour nous un chemin ». Ceci posé, Franz Meyer le range

34   (en couleur p. 55)

plutôt parmi les amateurs de nouveauté qu'au rang des découvreurs pénétrants de l'avant-garde ; et Chagall, parlant de la première visite du poète dans son atelier : « Apollinaire entre avec prudence comme s'il craignait que tout le bâtiment s'effondre soudain en l'entraînant dans ses ruines ». Néanmoins, son appréciation sur sa peinture, telle que Chagall la rapporte, est prophétique avant que le mot surréaliste ne soit de mise : « Apollinaire s'assied. Il rougit, enfle, sourit et murmure : « Surnaturel !... » Le lendemain, je recevais une lettre, un poème dédié à moi : Rodtzag », le *Rodsoge* publié à Paris dès

doc. 19

Apollinaire
et Chagall

Apollinaire

Esquisse pour Golgotha, 1912

Crayon sur papier.
200 × 154
Non signé.
Mentions au crayon en russe : indications de couleurs.

Paris, collection Guy Loudmer.

Notre exposition est l'occasion de rapprocher quelques esquisses de l'un des plus importants tableaux des années 1910-14 : *Golgotha*.

Rappelons tout d'abord la fortune du tableau lui-même (doc. 20). Peint à l'automne de 1912, il figure au Salon d'Automne à Paris la même année, avec la version cubiste du *Mort* et *Le Berger*, grâce à la recommandation, entre autres, de Le Fauconnier et de Robert Delaunay ; il est ensuite exposé à Berlin au premier Salon d'Automne organisé par la galerie Der Sturm et Herwarth Walden. Il porte dans le catalogue un titre différent : *Dédié au Christ* et constitue ainsi un pendant à *Dédié à ma fiancée*, envoyé également à Berlin avec *A la Russie, aux ânes et aux autres*. Seul *Golgotha* fut acquis, par le collectionneur berlinois Köhler. On peut tenir ce choix pour révélateur dans la mesure où le thème, une Crucifixion, semblait inscrire le tableau dans une tradition et lui conférer une grandeur étrangère aux deux autres. Le tableau est aujourd'hui au Museum of Modern Art de New York, légué par Lillie P. Bliss.

1914, à Berlin par Walden dans *Der Sturm* (année 1914, numéro 3) et enfin, dans *Ondes*, la première partie de *Calligrammes* écrite avant 1914.

L'amitié, teintée de respect, que Chagall porta au poète, se traduisit en particulier par trois feuilles, celle exposée et celles que nous reproduisons ci-dessus en documentation : une gouache, datée 1910-11, mais qui pourrait être repoussée après la première visite d'atelier que le poète fit chez le peintre, au plus tôt fin 1912, début 1913, date à laquelle Apollinaire commence à constituer son recueil *Ondes*, de *Calligrammes*. Un portrait au crayon, daté 1911 et dédicacé, très proche quant au style des dessins préparatoires à l'*Adam et Eve*, confirme que les deux hommes se connurent donc dès cette année-là. Le dessin, s'il a jamais été la propriété d'Apollinaire, est aujourd'hui celle de l'artiste.

Enfin, notre portrait à l'encre, de loin le plus visionnaire : à la plume et au pinceau, en virgules, hachures et traits impérieux, il est écrit autant que dessiné. Son support est d'ailleurs une feuille de papier à lettre, qui porte en haut le début d'une correspondance (en russe : *cher...*, le reste illisible). L'œil ouvert, l'œil fermé renvoient à la symbolique des deux regards, l'un tourné vers l'extérieur, l'autre vers l'intérieur, à l'instar de la double tête de *Paris par la fenêtre* de 1913. Une mention 1914 sur le passe-partout de l'artiste coïncide avec notre proposition de date tardive dans la période parisienne, au moment où Chagall a été présenté par Apollinaire à Herwarth Walden, que le peintre joint aussitôt, avec Canudo et Cendrars aux destinataires de son hommage inscrit sur la toile d'*Adam et Eve*. L'absence de toute recherche de ressemblance pour atteindre « l'autre dimension » fait de ce dessin un précieux témoignage de la réflexion du peintre sur la mystérieuse présence au monde du créateur.

35

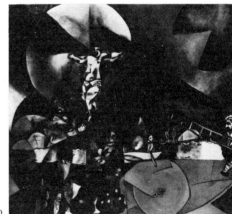

doc. 20

doc. 21

doc. 22

Un dessin à la plume (doc. 21), fait avant le départ pour Paris, constitue la première formulation connue de cette Crucifixion. Les trois thèmes principaux s'y trouvent déjà : le Christ-enfant entre la Vierge et saint Jean, l'homme barbu sortant du tableau à droite l'échelle sous le bras, et enfin le rameur tirant sa barque vers l'île au fond.

Une seconde esquisse (doc. 22) s'ajoute aujourd'hui au dossier de cette grande œuvre : le revers de l'esquisse pour l'*Adam et Eve* de 1912 (n° 31), contemporaine donc. Il s'agit d'un essai de couleurs pour le seul paysage, où la croix est à peine ébauchée en quelques coups de crayons, corroborant ainsi les propos du peintre : « Il n'y avait pas de croix à proprement parler, simplement un enfant bleu dans les airs. La croix m'intéressait moins ». De fait, cette feuille porte en bas, en russe, au crayon un titre : « Paysage de sang et de mort ». Les îles au fond, le mont Golgotha et le déroulement horizontal des plans y sont très clairement indiqués.

La troisième esquisse est ici exposée. C'est une étude de construction des deux personnages au pied de la croix, très fidèlement suivie dans la composition définitive, et intéressante en ce qu'elle témoigne de première main des inventions de Chagall : le dos arrondi du saint Jean très appuyé ici, pour fermer ce groupe sur une ogive dont l'axe est la croix, en symétrie avec le dos de la Vierge ; l'articulation perpendiculaire du visage de l'homme avec celui de la femme, enfin les indications de zones colorées, les passages de la couleur au

noir annonçant les futurs modelés. La feuille porte d'ailleurs des indications de couleurs qui en font un véritable document de travail pour le peintre.

36
Esquisse pour Golgotha, 1912

Crayon, aquarelle et gouache sur papier.
474 × 592
Signé en bas à droite au pinceau en deux couleurs : *Marc Chagall 1912.*

Provenance :
En Afrique du Sud en 1964 ; entré au Musée en 1978 avec la collection Joan et Lester Avnet.

Bibliographie :
F. Meyer 1964, cat. ill. 132.

New York, The Museum of Modern Art.

Cette esquisse est donc la quatrième connue et la plus achevée avant le tableau. Signée et datée par Chagall 1912, elle ne peut être confondue avec ces gouaches que Chagall fit plus tard d'après ses tableaux perdus ou vendus. Avec elle, tous les caractères de la composition définitive sont réunis : mélange d'une tradition et d'une forme novatrice, mises au service d'un discours hautement spirituel et personnel.

La tradition est manifestement celle de l'icône, dont sortent la Vierge et Saint Jean, et la présence du crâne au pied de la croix dans l'esquisse russe (doc. 21) qui disparaît ensuite, symbole de la Résurrection et de la rédemption d'Adam par le Christ, nouvel Adam. Contentons-nous ici de rappeler la fréquentation par Chagall des églises orthodoxes de Vitebsk ou celle, surtout, des musées de Saint-Pétersbourg avant août 1910, dont une autre preuve nous est apportée par la *Maternité* de 1913 (n° 37). De là vient également le porteur d'échelle, qui évoque la Descente de croix. De la peinture byzantine encore on peut voir l'héritage dans la robe piquée de fleurs de la Vierge, dans la barbe vénérable du saint Jean, dans l'inscription en grec au sommet de la croix dans l'esquisse russe.

La forme est cependant très nouvelle par rapport au paysage de l'esquisse Edersheim : une véritable structure de cercles et d'obliques articule la répartition des lumières et crée un parcours diagonal vers le bas et de gauche à droite sur lequel s'aligne l'échelle, un « rayon » partageant deux verts dans le haut, et la ligne invisible, mais bel et bien préparée dans l'esquisse de la collection Loudmer, liant le visage de saint Jean, sur la ligne, au visage de la Vierge, perpendiculaire à la ligne. De tous les cercles enfin, le plus grand d'entre eux est comme l'auréole de la toute première esquisse, démesurément agrandie autour du Christ et devenue astre à la place du croissant de lune originel. L'ensemble évoque, bien sûr, une structure cubiste, mais Chagall lui-même s'est défendu d'adopter pour autant les schémas formels des Parisiens, ses voisins au Salon : « Ils ne me gênaient pas. Je les regardais de côté et pensais : « Qu'ils mangent à leur faim leurs poires carrées sur leurs tables triangulaires ! ». « Chez lui, ajoute F. Meyer, les moyens qui servent à transposer les volumes réels en surfaces peintes restent surbordonnés à ceux qui permettent de manifester le surréel. » (1964, p. 112).

Le discours poétique de l'œuvre est d'une originalité équivalente : ce qui devait s'imposer chez Walden lors de l'exposi-

36

tion de 1912 est cet art du choc : au personnage à tête de taureau de *Dédié à ma fiancée*, à la tête détachée du corps de la laitière dans *A la Russie, aux ânes et aux autres* correspond cette liberté franche prise avec l'iconographie dans *Golgotha* : le Christ est un enfant, le surréel n'intervient ici que par rapport à une iconographie. Notons que dans la *Sainte Famille* de 1910 (huile, F. Meyer 1964, p. 75) et celle de 1911 (gouache, F. Meyer 1964, cat. ill. 130) le même déplacement était déjà cultivé mais à l'envers : l'enfant de la tradition était en même temps barbu comme un adulte. En tout état de cause, la réflexion affichée est la même : à peine né, à l'instar de chaque créature, le Christ est destiné à mourir. Le presque-né et le presque-mort sont résumés d'un coup en une seule figure, symbolique du destin de l'homme. Cette même symbolique se retrouve dans le *Message Biblique*, entre les tableaux de la *Création de l'homme* et du *Sacrifice d'Isaac* (1983, p. 129).

Il est plus aléatoire d'établir des correspondances entre les autres figures du tableau et une intention spirituelle précise, à propos du porteur de l'échelle et du rameur. Quant au rapport entre l'échelle de la Passion et la Crucifixion, il est traditionnel

et prend une importance encore plus grande dans le *Message Biblique*. Le personnage qui la porte, couvert du turban, rappelle étrangement l'homme qui disparaît à gauche dans la *Sacra Conversazione* de Bellini (Florence, Musée des Offices), peinture elle-même mystérieuse mais où figure également un premier espace séparé d'une autre rive par une large bande d'eau : image de l'Infidèle-bourreau, exclu du dialogue spirituel qui s'établit entre les personnages sacrés principaux ? Enfin, le rameur, passeur d'une rive à l'autre, se retrouve le sujet principal d'une petite huile de 1924, *Paysage avec fleuve* (F. Meyer 1964, cat. ill. 372) et d'une des lithographies d'illustration de *La Tempête* de Shakespeare, où l'île devient celle de Prospero. L'élément purement poétique, évocateur d'un paradis à la fois visible et lointain, joue en tout état de cause un rôle paradoxal et complémentaire dans ce tableau grave « de sang et de mort », comme l'indique lui-même le peintre.

Notons enfin qu'à peine le tableau vendu à Berlin, Chagall reprend le sujet et la composition dans une petite gouache datée 1912-13 (F. Meyer 1964, p. 197) en renouvelant rythmes et lumières.

37

Russie ou Maternité, 1912-13

Gouache sur papier.
270 × 182
Signé en bas à droite à l'encre : *Chagall Paris.*

Bibliographie :
F. Meyer 1964, p. 196.

Expositions :
1975, New York, n° 11 repr. ; 1982, Stockholm, n° 16, repr. p. 33.

New York, collection Helen Serger.

37   (en couleur p. 54)

doc. 23

Golgotha (n° 36) montrait combien Chagall sait reprendre d'une iconographie chrétienne le sens universel, comme il l'avait fait d'un épisode de l'Ancien Testament avec *Adam et Eve* dès 1911. La Vierge à l'Enfant telle que la peinture byzantine la lui proposait avait aussi l'attrait de cette liberté d'invention à connotation symbolique : un seul exemple choisi parmi beaucoup d'autres *(Mère de Dieu du Signe,* Novgorod, XVIᵉ siècle, doc. 23) montre d'où vient l'idée de l'enfant vu dans le corps de sa mère. Outre la Crucifixion et ce thème, Chagall empruntera aussi à l'icône la représentation, très populaire dans la Russie médiévale, de la Trinité, ou Visite des trois anges à Abraham (P. Provoyeur 1983, p. 124) ; d'où le premier titre *Russie,* sans doute. Venu également de l'icône, le symbolisme astral associe le soleil à la partie droite du tableau, la lune à la partie gauche. Seul le soleil apparaît ici sous la forme d'un visage circulaire, mais, dans le dessin suivant, le croissant de lune réapparaît dans le ciel.

Le sens à attribuer à cette figure monumentale est double : révélant la présence d'un être dans son ventre, elle est la fécondité et la vie. Mais, en même temps, elle marque le lieu où l'homme chemine vers sa fin. *L'Enterrement* commencé en 1909 mais repeint et achevé en 1914 (voir *La Procession,* n° 5) montre une paysanne à gauche, presque idole primitive dans sa position symétrique et frontale, point de départ de la charrette qui emmène le mort. *Le Marchand de bestiaux* (n° 39) ne tient pas d'autre discours. La vache en bas à droite évoque l'animal sacrifié dont Chagall parle dans *Ma Vie.* Par sa touche — hachures, construction en grands carrés noirs et blancs — cette gouache n'est pas éloignée de l'étude pour *Golgotha* de 1912 (n° 36) et entretient avec le dessin en général des rapports étroits.

38

Maternité, 1912-13

Crayon, plume et encre noire, rehauts de gouache blanche, sur papier blanc.
298 × 178
Signé en bas à gauche à l'encre : *Chagall Paris.*

Provenance :
Galerie Der Sturm en 1914 ; Nell Walden.

Expositions :
1960, Berne n° 6

Berne, collection E.W. Kornfeld.

La gouache de 1912-13 fut suivie en 1913 d'un grand tableau (doc. 24), *La Femme enceinte* ou *Maternité.* C'est celui qui fut exposé au Salon des Indépendants de 1914 à Paris, avec le *Violoniste* et l'*Autoportrait aux sept doigts. Maternité* fut ensuite acquis par le collectionneur Regnault lorsqu'une grande partie du Salon fut montrée à Amsterdam. Chagall avait néanmoins conservé de sa composition un dessin à l'identique, mais que l'usage de la plume et de l'encre transfigure en une image toute de force et d'efficacité.

De nouveaux éléments apparaissent par rapport à la gouache précédente : le décor de la robe, proche de celui du manteau de la Vierge dans *Golgotha ;* la position des bras qui, au lieu de signifier le silence dans la gouache, désignent l'enfant ; le visage qui se dédouble en face et profil et renvoie à nos commentaires à propos de la *Tête au nimbe* (n° 16) et de l'*Adam*

38

doc. 24

39
Le Marchand de bestiaux, 1912

Gouache sur papier.
260 × 470
Signé en bas à droite : *M. Chagall.*

Expositions :
1960, Berne, n° 7.

Berne, collection E.W. Kornfeld.

et *Eve* (n°s 30 à 32) et de la réunion des contraires nécessaire
pour que la vie apparaisse. La *Maternité* est une étape nouvelle
dans cette réflexion sur la naissance que mène Chagall de
tableau en tableau (1910, deux fois 1911, 1912).

Enfin, la vache que l'homme semblait promettre à l'abattoir dans la gouache précédente vole à présent dans le haut du
tableau sous les yeux étonnés du marchand de bestiaux en bas
à droite. « Mais le boucher, en blanc et noir, retrousse ses
manches. A peine entend-on la prière et, lui redressant le cou,
il lui enfonce l'acier dans la gorge (...) Et toi, vachette, nue et
crucifiée, dans les cieux, tu rêves. Le couteau resplendissant
t'a élevée dans les airs. » *(Ma Vie).* Une huile datée 1911 mais
plus tardive, *L'Abattoir* (F. Meyer 1964, p. 215) et deux gouaches sur papier (1912-14), *La Vache volante* et *Scène villageoise*
(F. Meyer 1964, n°s 148 et 149), constituent des expressions
semblables de ce thème du sacrifice et de la mort, annoncés à
l'homme dès sa naissance.

Le dessin a été reproduit par Walden dans sa livraison de la
revue *Der Sturm* de mai 1917, p. 27.

De même qu'il montrait la femme portant l'enfant dans son
ventre, Chagall peint ici le poulain dans la panse de la jument :
promesse de vie, elle tire néanmoins la charrette sur laquelle
est couchée la vache promise, elle, à l'abattoir. Comme la
charrette de l'*Enterrement* (1910-14), celle-ci est suivie d'une
femme, non plus désespérée, mais protectrice de l'animal
comme l'était la mère de la *Maternité,* et attachée aux origines
puisque tournant la tête en sens contraire de la charrette qui,
elle, va vers la mort.

On connaît de cette composition complexe, faite d'un
équilibre entre immobilité et mouvement, plusieurs versions : une petite feuille à l'encre et à la gouache datée 1912
par l'artiste (Solomon R. Guggenheim Museum, New York),
antérieure à la feuille montrée ici ; le tableau consécutif, envoyé à Berlin pour l'exposition personnelle du peintre en juin
1914, à la galerie « Der Sturm », et vendu par le marchand
pour une somme que Chagall ne reçut jamais, à son retour en
1922 ; il est aujourd'hui au Kunstmuseum de Bâle, mais fut
peint une seconde fois par Chagall, dès son retour à Paris, dans
une version quasiment identique (Saint-Paul-de-Vence, collection de l'artiste). Comme la *Maternité,* et beaucoup plus que
Golgotha ou *Adam et Eve,* il manifeste une permanence de
l'inspiration tirée de la Russie et des souvenirs d'enfance. Nul
doute qu'au Salon à Paris, comme chez Walden à Berlin, il ait

39   (en couleur p. 56)

été vu à la fois comme un tableau d'avant-garde — de par la
structure de la couleur, préparée par cette esquisse sur papier
— et comme un tableau « russe ». Le retour de Chagall au
pays allait pourtant faire de lui parmi les siens un peintre tout
auréolé de son séjour à Paris.

Chagall a vingt-sept ans lorsqu'il quitte Berlin pour Vitebsk ; il a laissé dans la galerie d'avant-garde d'une des grandes capitales de l'Europe des œuvres importantes, dont il sait qu'elles ont éveillé un intérêt dans les milieux de l'intelligentsia française et allemande. Il lui semble que son destin est donc là ; le chemin est désormais court qui le sépare de la notoriété et de l'aisance, agents puissants de l'amélioration de ses conditions de travail. Il ne faut pas oublier qu'à cette date de 1914 un courant extrêmement actif d'échanges de toutes sortes s'est établi entre les mondes latin, germanique et slave ; qu'il laisse pour compte les énormes populations attachées à la terre, aussi bien que celles qui font la Ruhr et la Lorraine, mais qu'il touche à la fois les créateurs, tribu ancienne et habituée de longue date aux pérégrinations de la curiosité, et cette espèce en revanche nouvelle, assoiffée d'éblouissements et de nouveauté qu'est le *public* moderne.

Chagall ne peut avoir oublié de méditer l'exemple de Bakst et de Diaghilev : si les motifs de leur départ de Russie en 1910 diffèrent fondamentalement — Diaghilev part en tournée, appelé par une Europe ouverte à l'exotisme pour lui apporter la nouveauté, Chagall vient à Paris pour la chercher à sa source — les raisons qu'ils ont de rester en Europe en 1913-14 sont, au contraire, très proches : ils ont tous trouvé ce *public*. Certes, celui de Diaghilev n'est pas celui de Chagall ; aussi le ballet s'installe-t-il à Monte-Carlo, sanctuaire du cosmopolitisme. Le peintre, lui, élit l'Allemagne parce qu'elle est le lieu d'Europe où l'on reste avide de peinture ; ou bien peut-être tout ensemble Berlin et Paris parce que ces deux villes sont les pôles de deux mouvements entre lesquels Chagall se trouve à la fois écartelé et heureux : du cubisme et de l'expressionnisme il sait prendre ce qui convient à son art et contre l'un et l'autre forger son identité. Autant dire qu'il en a besoin comme la nature du jour et de la nuit.

Il quitte Berlin pour la Russie : « J'avais envie d'y aller pour trois mois », dit-il dans *Ma Vie*, comme nous parlerions aujourd'hui d'une fin de semaine. Il ne sait si Bella l'attend vraiment : « Encore une année de plus, et tout serait, peut-être, fini entre nous ». Mais Bella l'a attendu, et la guerre éclate, et la Révolution aussi. Le retour au pays prend tous les aspects d'une nouvelle vie, acceptée pour toujours, dans des conditions différentes auxquelles Chagall tente de commander, plus riche de son expérience occidentale et déterminé dans ses choix. Le spectacle de ces années est celui d'une lutte, d'une formidable certitude mise à l'épreuve des difficultés qui se révéleront malgré tout insurmontables. On doit en faire ici le détail pour justifier ensuite l'articulation donnée à la présentation des dessins qui, avec les tableaux de cette époque, constituent le lieu de la vraie victoire de Chagall.

Retour

Après un premier haut-le-corps devant une Russie étrangère et une ville « charcutière », Chagall retrouve, intacte, l'atmosphère de ses années d'enfance : il reprend avec une énergie neuve ses promenades de peintre et croque paysages et gens comme il l'avait fait en 1909 (nos dessins n°s 3 et 4) : étonnant retour à une forme naturaliste, après les inventions débridées de Paris, dessins d'un pays médiéval : des cours de fermes, des maisons de bois et des palissades, des églises partout. Au hasard d'une feuille, cependant, la modernité du siècle fait irruption, dont le dessin livre le « reportage » : ici, l'enseigne de *La Banque de Moscou* (F. Meyer 1964, cat. ill. 220, daté 1914), là deux immenses poteaux télégraphiques *(Rue à Vitebsk*, doc. 25). Triste modernité qui bientôt amènera les voitures dans la ville : le père de l'artiste sera tué par l'une des toutes premières en 1921.

C'est à ce premier ensemble que se rattache *Le Marchand de journaux* de 1914 (n° 40) : le pressentiment diffus que Chagall avait eu de la guerre n'avait ni hâté ni retardé son départ ; il avait vécu sans crainte son parcours personnel. Et voilà qu'elle le rejoignait, troublait et bientôt meurtrissait cette Russie inviolée : le paysan de Vitebsk porte autour de son cou le poids du malheur collectif qui s'annonce, en même temps qu'il résume sur son visage tout ce que fut Vitebsk pour Chagall, une très ancienne et très simple sagesse mêlée de fatalisme.

Un an, puis deux ans plus tard, le mariage de Chagall avec Bella et la naissance d'Ida offrent au peintre le sujet de nouveaux portraits : son frère et les siens et les amis aussi (F. Meyer 1964, cat. ill. 165 à 191). Parmi ceux-ci le fils de l'un deux fait l'objet d'une feuille émouvante et importante à la fois (n° 47, *Alia Eliacheff*), mais c'est évidemment le père qui joue le rôle essentiel et aide Chagall à se réinsérer dans la société de son pays : il rencontre le Docteur Eliacheff dans un petit milieu d'écrivains et d'intellectuels : Jacov Rosenfeld, le frère de Bella, économiste, l'emploie dans son bureau d'Economie de guerre ; Demian Bedny est fabuliste, il est aussi l'ami de Lénine et aidera Chagall à quitter la Russie en 1922 ; le critique d'art Sirkine, le collectionneur Kagan-Chabchaj, les poètes Alexandre Block et Essénine, Maïakovsky, Boris Pasternak deviennent également ses proches. D'autres amis sont ceux que Chagall a connus à Paris : Lounatcharsky habitait la Ruche, avait vu la peinture de son voisin et avait même donné à l'époque une critique à un journal de Kiev. Dobouchinsky, son ancien maître à l'Ecole Zvanseva, et Jean Pougny — Ivan Puni à l'origine — le rejoindront plus tard à l'école de peinture qu'il ouvre à Vitebsk, avec Alexandre Rom dont il avait fait le portrait à la Ruche, entre 1911 et 1913 (F. Meyer 1964, cat. ill. 99).

Le peintre ne pouvait cependant se contenter d'échanger des réflexions avec ce milieu. Il lui fallait montrer ses œuvres, intéresser les marchands et les amateurs : pour ce qui est des premiers, ils s'intéressèrent à lui dès 1915 ; les collectionneurs Kagan-Chabchaj, Morosov et Wissotsky lui achetèrent quant à eux des œuvres dès 1917.

Il est intéressant de voir évoluer la situation de Chagall à travers les expositions : son retour après quatre années parisiennes ne lui vaut tout d'abord aucun titre particulier auprès d'Alexandre Benois, qui lui refuse les cimaises de « Mir Iskoustvo » en 1914. La première grande exposition est celle de « L'an 1915 », à Moscou : y figurent les paysages à la frontière du naturalisme peints à Vitebsk, des *Soldats* et *Le Juif noir et blanc* (aujourd'hui dans la collection C. Im Obersteg à Genève), des tableaux, donc. La galerie Dobitchina poursuivit ces présentations : une exposition en 1916, une autre en 1917 où figuraient notamment soixante-neuf dessins pour quatre tableaux seulement. En novembre 1916, le groupe d'artistes « Le Valet de carreau », fondé par Larionov, Gontcharova et Malevitch, montre quarante-cinq de ses œuvres à Moscou. En 1917, à une exposition d'artistes juifs, Chagall envoie quatorze tableaux, mais aussi une trentaine de dessins.

Le nouveau pouvoir révolutionnaire apporte à Chagall une aide importante en avril 1919, non seulement en lui ouvrant les cimaises de la première exposition officielle d'Art révolutionnaire, au Palais des Arts de Petrograd, mais encore en acquérant pour le compte de l'Etat douze œuvres. Aux quinze tableaux exposés était à nouveau jointe une quantité importante de dessins. Néanmoins, ces achats sont à la fois inférieurs en nombre à ceux qui sont faits au même moment à Kandinsky et à Malevitch, et ils sont surtout les derniers : Chagall exposera bien en 1921 et 1922, mais il s'agira de son travail pour le théâtre. Enfin, il est annoncé au catalogue de « Mir Iskoustvo » en 1922, mais il semble que ses œuvres n'aient pas pour autant figuré à la cimaise.

Outre la présence frappante de très nombreux dessins à ces expositions, il faut relever que la fortune critique de l'œuvre commence à leur occasion : c'est avec l'exposition de Kandauroff, « L'An 1915 », que Efross et Tugendhold livrent leurs premiers commentaires, préparant leur livre de 1918 : *L'Art de Marc Chagall* (voir notre n° 53). Autre facteur de diffusion de l'œuvre, l'illustration de livres, que Chagall pratique dès 1916 avec les dessins pour les poèmes de Peretz et de Nister (n°s 49 à 52), contribue à faire naître de nouvelles feuilles.

Guerre

La Russie a offert au peintre le spectacle d'un pays en armes tout au long de son enfance. Le soldat est une figure familière pour lui, autant que le rabbin ou la mère. La guerre russo-japonaise avait même mené le tsar à Vitebsk, pour une revue des troupes à laquelle Chagall avait assisté. L'un des tableaux de Paris importants, *Le Soldat boit* de 1912, est accompagné d'une quantité de gouaches et de petits tableaux mettant en scène militaires et gendarmes de toutes sortes. Aussi peut-on dire que la guerre a toujours fait partie de l'univers du peintre. Elle prend simplement, pour lui, avec le conflit de 1914, un tour singulièrement personnel : d'une part, elle l'empêche de repartir pour l'Europe et cèle son nouveau destin d'artiste en Russie ; d'autre part, elle le contraint à accomplir un service militaire qui, même mené dans des conditions privilégiées puisque dans les Services de l'Economie de guerre, le détourne de ses chevalets.

On connaît de cette période, 1914-15, des dessins sur papier administratif qui constituent de merveilleuses revanches (doc. 28) et c'est aussi sur les bureaux de ces Services qu'il rédigea en grande partie ses souvenirs : *Ma Vie*. Tous les dessins de Chagall sont alors traversés du bruit des bottes et des sanglots des femmes. Le Musée d'Etat russe à Léningrad conserve deux dessins (doc. 25 et 26) de 1914 qui sont très

doc. 25

doc. 26

significatifs de son attitude à cette époque : l'un est une image de paix, une *Rue à Vitebsk*. Dans *La Gare de chemin de fer*, au contraire, la même ville est traversée de brancards, de militaires aux fusils armés de baïonnettes et d'une mère à l'enfant déjà désignée comme victime. L'image de guerre s'accompagne ici des sinistres trains d'expatriés et de soldats dont un bout de fumée et un parti pris de dérision ne font qu'accroître l'absurde. Le dessin est ici encore le mode d'expression favori pour faire état de la vie quotidienne, mais il n'est plus naturaliste, il est réducteur, il nettoie la rue, le paysage et la significa-

tion de toute anecdote pour livrer un tragique pur. *Le Départ pour la guerre* (no 48) est de cet ordre, et aussi l'admirable dessin de 1914, conservé aujourd'hui au Musée Lounatcharsky de Krasnodar (doc. 27). Celui-ci se rattache à un style nocturne qui semble établir entre l'obscurité et la cruauté du temps un lien d'affinité, une correspondance des significations.

doc. 27

doc. 28

Révolution

Si la guerre hâta la prise de conscience révolutionnaire du peuple russe, la révolution provoqua à son tour la disparition des chaînes séculaires qui liaient les Juifs à une condition sociale inférieure. Chagall devenait en 1917 un citoyen libre, ce qui signifiait pour lui la fin des autorisations de séjour qui avaient tellement compliqué ses années d'apprentissage. En même temps, les amitiés tissées pendant les années parisiennes, et celle de Lounatcharsky en particulier puisqu'il devenait le président du « Narkompross » ou Ministère de la Culture et des Arts pour toute la Russie, étaient désormais utiles à son travail. Le fait est qu'il ne se contenta pas de jouer de son appartenance à l'avant-garde pour pouvoir exposer et vendre son travail, mais qu'il épousa la cause révolutionnaire d'enthousiasme dans un projet d'intérêt général.

De 1918 à 1919, Chagall est réellement porté par sa mission : faire fonctionner l'école qu'il a ouverte pour enseigner les arts à tous. A côté des cours de peinture, y sont organisés des cours d'art graphique — Lissitsky en sera un moment chargé. Il existe également un musée, des conférences et des débats : l'activité est telle qu'une véritable mystique naît autour de Chagall, à laquelle au fond il adhère volontiers. Ne dit-on pas que « Chagall » signifie en russe « marcher » ? Bien des œuvres vont, dès lors, développer cette idée de la progression, dont nous montrons quelques exemples : *Le Voyageur* (no 61), *Le Village en marche* (no 62), *L'Enlèvement* (no 66) ; et lorsque Chagall réalise son propre portrait (no 44), il se dessine réduit à une tête, et le ciseau d'un bras et d'une jambe.

Non seulement les dessins réalisés pendant ces années d'intense activité et de responsabilités sont-ils le plus souvent fondés sur le mouvement mais encore ils évacuent pour la plupart le « sujet » : les œuvres parisiennes ne parvenaient pas toujours à tant de dégagement par rapport au contenu. Une première série de feuilles, ces scènes militaires qui sont accompagnées en 1914 et 1915 de très nombreuses huiles et gouaches sur les soldats (F. Meyer 1964, cat. ill. 212 à 218), est suivie de 1917 à 1921 d'une série beaucoup moins grave parce que vidée de cette légitime et très présente protestation contre la guerre, mais où surtout la matière même — les noirs et l'atmosphère — se raréfie autant que le discours. Ce parti de la pureté plastique du dessin par rapport au contenu est contemporain d'une prise de position capitale de Chagall : « L'art d'aujourd'hui comme celui de demain refuse tout contenu. L'art prolétaire authentique sera celui qui, dans une sagesse pleine de simplicité, saura rompre avec tout ce que l'on peut définir comme purement littéraire... L'art prolétaire n'est pas un art pour les prolétaires, ni un art de prolétaires. C'est l'art du peintre prolétaire. En lui, les dons créateurs s'unissent à la conscience prolétaire et il sait parfaitement que lui et son talent appartiennent à la collectivité. » *(La Révolution dans l'Art,* mars ou avril 1919).

Chagall, malgré ces déclarations peu suspectes à l'égard de la Révolution, succomba, en réalité, aux coups venus de droite et de gauche : ce texte est une réponse à la Société J.L. Peretz qui l'avait attaqué sur les tendances « futuristes » qu'il prétendait imposer à l'Académie des Beaux-Arts de Vitebsk ; l'ironie veut que Peretz lui ait fourni l'occasion de donner d'admirables dessins (nᵒˢ 49 et 51). De l'autre côté, Lissitsky, après avoir puisé à pleines mains sa propre peinture folklorique dans les œuvres de Chagall, voua soudain son admiration à Malevitch, qu'il fit entrer dans l'Ecole : la négation du contenu ne passait pas nécessairement par l'élimination de la figure ; les lignes et les carrés de Malevitch rappelaient trop à Chagall les cubistes, leurs « poires carrées sur leurs tables triangulaires ». Le débat fut, à dire vrai, résolu par le Parti qui soutint bientôt, comme l'on sait, le premier des deux clans. Il apparut en même temps que la gestion de l'Ecole n'était pas compatible avec l'espoir d'imposer une esthétique donnée, sauf à jouer aux jeux du pouvoir. Ceux-ci détournent de la création : Chagall préféra consacrer ses forces au théâtre, où il pouvait travailler en artiste, seul.

Le renouveau juif

Le succès que la part du travail du peintre consacrée au théâtre remporte auprès des exégètes et du public connaît des sources plus complexes qu'il ne paraît. Il ne suffit pas, en effet, de rappeler que Chagall reçut du théâtre les uniques enchantements de son enfance : le cirque, qui ne se confond pas avec lui, devrait y être ajouté, et la danse en tant que part spectaculaire du rite hassidique. Il faut reconnaître, ensuite, que la première occasion qui fut donnée à Chagall d'entrer dans le métier de scénographe, c'est-à-dire son passage chez Bakst, ne connut aucune conséquence. La peinture et le dessin restent jusqu'à la fin de la période parisienne les moyens d'expression privilégiés de l'artiste et les premières sollicitations sont de très peu antérieures à 1917. Un facteur important de l'attirance pour le théâtre, à laquelle Chagall finira par répondre, est la compagnie de Bella : étudiante à Moscou en 1909 et 1910, elle avait fréquenté les cours de Stanislawsky ; Chagall, de son côté, en 1908, avait peint son autoportrait avec un petit masque de théâtre (F. Meyer 1964, repr. in-texte p. 53) ; au moment du départ pour Kaunas, en 1922, Bella brûle de reprendre des cours, de jouer. Seule une chute en cours de répétition le lui interdira et elle devra retarder son propre départ pour ne rejoindre Chagall qu'à Berlin.

Tout cela est, cependant, moins déterminant que l'air du temps, autour de Chagall, en ce début du vingtième siècle. Deux mouvements se conjuguent, en effet : les efforts de la communauté juive de renouveler son art et ses moyens d'expression ; les recherches dans le domaine théâtral qui portent aussi bien sur les textes que sur la scénographie et le jeu des acteurs. Chagall participe aux uns et aux autres. Le renouveau

juif est évidemment très lié au bouillonnement qui saisit le milieu intellectuel russe avant la Révolution. On a cité ici le rôle qu'un Vinaver, à la fois juif et député à la Douma, avait joué en 1910 : rédacteur de la revue culturelle en langue russe *Voshod,* il avait mené avec Léopold Sew, Sirkine et l'écrivain Pozner un travail de recherche sur la culture juive. C'est par ailleurs en 1911 qu'An-Ski conçoit la future pièce *Le Dibbouk* au début de son voyage d'études ethnographiques dans les communautés hassidiques. L'érudit en la matière était précisément J.L. Péretz, qu'il tenta en vain de rencontrer, et que Chagall illustrera (cf. supra et nᵒˢ 49 à 51). Mais Chagall, lui, rencontra An-Ski : « Il m'avait embrassé et m'avait dit joyeusement : vous savez, j'ai une pièce « Dibbouk ». Vous seul devez la réaliser. J'ai pensé à vous. » *(Ma Vie).* Wachtangoff sollicitera Chagall à son tour pour le Théâtre Habima de Moscou ; et si le projet tourna court, une influence des travaux de Chagall pour le Théâtre d'Art juif de Granowsky se révéla rapidement sur ses recherches, singulièrement sur le décor et les costumes de Nathan Altmann (maquettes de 1920).

Au centre de ces rencontres et de ces cénacles se trouve le Docteur Eliacheff, dont Chagall fit le portrait au crayon (doc. 29 ; voir aussi le nᵒ 47). Médecin, mais écrivain aussi, sous le nom de Baal-Mashshowess, il est lié au groupe de collectionneurs qui achèteront des œuvres à Chagall, et notamment à Kagan-Chabchaj qui rêve de fonder un musée d'art juif pour lequel il acquiert quatre tableaux de l'artiste. Eliacheff assiste à la rencontre de Chagall et d'An-Ski. C'est lui qui organisera l'exposition de Kaunas avec l'ambassadeur de Lithuanie à

doc. 29

Moscou, qui permit à Chagall de sortir soixante-cinq œuvres de Russie en 1922 ; il fait, enfin, partie du cercle des amis berlinois de Chagall.

Efross et Tugendhold jouent aussi dans la présentation et l'inventaire de cet art d'avant-garde un rôle capital : c'est Efross qui présentera Chagall à Granowsky et suscitera la création des peintures murales du Théâtre d'Art juif.

Au-delà du problème ethnique et culturel que vit la communauté juive en Russie avant et après la Révolution, il reste une donnée importante à verser au dossier concernant Chagall et le théâtre : on peut dire que, s'il accepta avec tant d'enthousiasme le travail pour lequel Granowsky et l'Etat ne lui versèrent d'ailleurs jamais la moindre rétribution, c'est avant tout parce que le peintre était avide de donner à sa peinture une échelle monumentale — et ceci à travers les peintures murales — tout en mettant ses compositions faites pour le plan du papier ou de la toile à l'épreuve d'un espace où la figure évoluera librement. A cet égard donc, les pièces de Sholem Aleichem ou celles de Synge et de Gogol sont toutes bonnes à prendre : le plus urgent étant de défier le naturalisme régnant de Stanislawsky, il fallait rendre le théâtre au monde du dessin et de la peinture.

Dessin

Jamais Chagall n'aura autant dessiné au cours de sa longue vie, pour lui-même voulons-nous dire, puisque les œuvres de cette période ne sont que très rarement destinées à l'édition, et que les maquettes de théâtre mènent une existence propre, qu'elles sont bien souvent le seul témoignage sur l'éphémère. La série des encres frappe les observateurs. Oumansky, en 1920, traite de l'*Art Nouveau en Russie* et indique que Chagall à son retour de Paris « poursuit ses recherches dans le domaine graphique » ; Efross écrit : « Les noirs et blancs de Chagall sont encore plus denses, plus nourris que sa peinture. Dans le graphisme, le dynamisme impétueux de son art se révèle absolument pur. Ces lambeaux noirs, ces noires poussières, ces noirs échantillons, ces fragments noirs d'objets ou de personnages, raides et tournoyants à l'extrême, assaillent le spectateur et l'entraînent irrésistiblement dans leur tornade. » Quant aux blancs du papier, « ils ne constituent pas un fond pour la figure, mais en sont une partie : substance vivante qui leur donne forme et individualité ».

Ce rapport du blanc et du noir, du papier et de l'encre a suffisamment intrigué Chagall pour qu'il l'inverse parfois — comme il l'avait d'ailleurs déjà fait à la gouache avec la *Vue de Vitebsk* (n° 3). La *Rue le soir* (doc. 9) ne constitue qu'un prétexte au titre. La vraie question est ici : comment ajouter encore de la matière — encre ou huile, peu importe — et s'arrêter à la forme, à l'accent juste ? A cet égard, Chagall est très proche de Beardsley et surtout de Valloton dont les œuvres vivaient indépendamment de la gravure, même si leur destin les y menait. Il n'y a, à dire vrai, pas plus de rapport entre ces dessins de la seconde période russe et la peinture passée ou l'eau-forte à venir. Le travail sur le noir et le blanc, d'une infinie délicatesse cependant, libère dans ses réseaux la même force et les mêmes élans.

40

doc. 30

doc. 31

40
Le Marchand de journaux, 1914

Crayon sur papier gris.
453 × 355
Signé en bas à droite au crayon : *M. Chagall Witebsk 1914*.

Bibliographie :
F. Meyer 1964, repr. p. 250.

Saint-Paul-de-Vence, collection de l'artiste.

L'état de guerre dans lequel Chagall retrouve son pays lui inspire des œuvres différentes : d'une part, l'ensemble des scènes militaires (voir numéro suivant), de l'autre ce dessin et le tableau qu'il prépare (Paris, Centre Georges Pompidou, Musée national d'art moderne, don Ida Chagall 1984, doc. 30).

Il s'agit ici d'un croquis, vraisemblablement d'après le modèle vivant, très proche des visages de vieillards que Cha-

gall peint pendant ses premiers mois de retrouvailles avec Vitebsk. L'émotion intense qui se dégage de ce portrait d'un visage émacié vient autant de l'humanité douce du personnage que du poids terrible que représente le titre en russe que porte le journal attaché à son cou : « Guerre ». L'intention de Chagall semble changer du dessin à la peinture : autant le personnage de notre feuille est une créature vivante, un individu accablé par un malheur personnel, autant la figure du tableau incarne le destin de l'humanité, quelque messager de la fatalité qui erre par les rues de la ville et sème terreur et mort. Très différent par sa facture des dessins de Paris, il se rapproche en revanche beaucoup des paysages réalistes de ces années 1914 et du portrait de *La Mère*, de 1914 également (doc. 31).

41

41
Souvenir, 1914 ?

Crayon, plume et encre noire, gouache sur papier (une feuille d'un carnet, bord supérieur dentelé).
318 × 222
Signé en bas à l'encre : *Erinnerung Chagall* et au crayon : *1914 Chagall 914.*

Provenance :
Don de Solomon Guggenheim en 1941.

New York, The Solomon R. Guggenheim Museum.

Ce dessin est absent du catalogue de Franz Meyer en 1964. Aussi la venue de cette feuille pour la présente exposition sera-t-elle précieuse pour aider à déterminer sa place dans la chronologie de l'œuvre, par comparaison avec les autres pièces présentées.

La date de 1914 ne constitue pas, en effet, une mention suffisamment claire : Chagall a vécu à Paris jusqu'en mai ; ce dessin, célébrant le souvenir du village et des origines, se rattache bien aux œuvres de la « mémoire » (voir notre introduction au chapitre précédent) et également à la *Noce* de 1910 où figure une maison semblable, la boutique devant laquelle se tient la mère de Chagall. A cet égard, le personnage qui emporte la maison sur son dos est doué d'un humour et d'une humanité délicatement peints.

Cependant, le titre porté sur l'œuvre est postérieur et inscrit en allemand, habitude qui n'apparaît jamais sur les œuvres parisiennes. Chagall n'ayant vécu à Berlin guère plus

de quinze jours en 1914, il faudrait imaginer cette œuvre comme un croquis de voyage — ce que l'appartenance de la feuille à un carnet appuie à la rigueur. Mais on peut plus vraisemblablement rattacher ce dessin aux inventions du retour à Vitebsk. La composition du personnage très mobile, l'association étrange du porteur et de l'objet porté, la tête très observée nous invitent à inscrire ce dessin au début de la seconde période russe de Chagall, avant les compositions à l'encre noire seule de 1916-21 (n⁰ˢ 56 à 70). Le mouvement de la jambe évoque les futurs *Pourim* (n° 60) et *Le Pas cadencé* de 1916, tandis que le visage, malgré la caricature, témoigne du même regard fraternel que le peintre posait sur *Le Marchand de journaux* (n° 40).

42
Bella, 1915

Dessin au crayon noir rehaussé d'aquarelle sur papier crème fort.
336 × 384
Signé en bas à gauche au crayon : *Chagall « Bella »* et à l'encre noire : *1915.*

Paris, collection particulière.

Bella Rosenfeld, que Chagall retrouve à son retour à Vitebsk au cours de l'été 1914, fait l'objet d'un grand nombre d'études

42   (en couleur p. 121)

doc. 32   doc. 33

et de portraits, tantôt dans une veine naturaliste à laquelle s'adonne volontiers Chagall à cette époque, tantôt reconstruits librement dans une atmosphère totalement poétique et irréaliste. A la première série se rattachent cette œuvre et la suivante, tandis que le *Double portrait au verre de vin* (n° 45) entre bien dans la seconde.

Celle qui deviendra l'épouse de Chagall le 25 juillet 1915 est représentée vêtue d'une blouse blanche dont les rayures à la façon d'un costume marin séduisent particulièrement le peintre : *L'Enfant malade* de 1919 (F. Meyer 1964, cat. ill. 287), *Bella au corsage rayé* (n° 97) ou *Ida à Schwarzwald* de 1922 (n° 96) le montrent assez. L'autorité avec laquelle Chagall coupe le dessin d'un bord de table exagérément souligné fournit, avec l'accent rouge de la tapisserie, un accompagnement adéquat à l'attitude résolue du modèle. Les deux peintures au fond sont des portraits du peintre et très probablement de son modèle, Bella. Le plus important pour nous est évidemment celui de gauche, grimaçant et rieur. Il s'agit en effet à l'évidence de la tête reprise dans le *Double portrait au verre de vin* (voir n° 45). On connaît, en effet, un dessin (F. Meyer, cat. ill. 277) daté 1917, et une gravure d'après le dessin réalisée en 1924-25 (doc. 32), mais non une toile, hormis le grand tableau du Musée national d'art moderne à Paris (doc. 33) de 1917. Si ce portrait de Bella est donc bien de 1915, il faudrait sans doute avancer la date du dessin (cat. ill. 277) à 1915. Une autre esquisse pour ce même *Double portrait,* pour la figure de Bella cette fois, est datée 1916 (F. Meyer, cat. ill. 278) et prouve en tout cas que Chagall pense et travaille à ce grand et important tableau dès son retour à Vitebsk.

Saisissant, en tout état de cause, est le contraste établi entre les deux visages, le réel et le peint, que Chagall répètera en quelque sorte dans *L'Enfant à la poupée* de 1922 (n° 98).

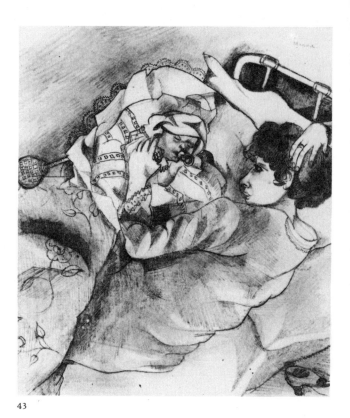

43

43
Bella et Ida, 1916

Dessin au crayon noir sur papier blanc, collé en plein.
221 × 187
Signé en haut à droite au crayon, en russe : *Chagall.*

Paris, collection particulière.

Cette feuille doit suivre de très peu la naissance d'Ida, au printemps 1916.

doc. 34

Rayures et fleurs ajoutent leur arabesque au réseau mouvementé des étoffes et des plis, dans une composition diagonale et un effet de contre-plongée spectaculaires. La position adoptée par Bella et commandée par sa place dans le lit coïncide cependant avec toutes les figures au bras levé de 1912-14 (n°s 18, 20, 23) et manifeste la prédilection que Chagall montre encore pour cette attitude. La composition, toute faite d'arabesques enchevêtrées dans un espace creusé par le choix d'un point de vue en hauteur, est ici très proche d'un portrait de *David*, le frère de Chagall, daté 1914 (doc. 34).

44
Autoportrait à la grimace, 1917

Crayon sur papier crème.
375 × 279
Signé en bas à droite à l'encre : *Chagall.*
Mise au carreau au crayon.

Bibliographie :
Repr. *in* : *Ma Vie,* 1957, p. 3.

Saint-Paul-de-Vence, collection de l'artiste.

La date de 1917 est celle donnée par l'artiste : il conviendrait donc de placer cette feuille entre le dessin de 1911, *Autoportrait avec les parents de profil* (doc. 35) et l'*Autoportrait à la grimace* gravé à l'eau-forte et aquatinte à Paris en 1924-25 (doc. 36). Il est alors significatif que Chagall revienne sur cette composition volontairement caricaturale au moment où il peint un très grand nombre d'autoportraits, de 1914 à 1922. Rappelons que ce dessin, transcrit en gravure, est accompagné en même temps d'une autre transcription dans la même technique de l'autoportrait qui figure derrière Bella, dans le portrait de 1915

44

Rapprochée du célèbre tableau du Musée national d'art moderne à Paris (doc. 37), cette feuille ne peut être considérée comme une copie postérieure, dans la mesure où elle ne comprend pas le troisième personnage faisant irruption dans le haut de la composition : la petite Ida, sous l'apparence d'un

doc. 35   doc. 36

45

(voir n°s 42 et 45). On peut donc imaginer que l'artiste destinait ce dessin à la préparation d'une peinture en 1917, ou bien que la mise au carreau date elle-même de 1924-25, au moment où la gravure fut faite.

45
Esquisse pour le Double Portrait au verre de vin, 1917 ?

Crayon, aquarelle et fusain sur papier beige fin.
271 × 191
Signé en bas à droite au crayon : *1922 Marc Chagall.*

Saint-Paul-de-Vence, collection de l'artiste.

doc. 37

ange venant à la rencontre du couple. Elle est donc une préparation pour une première version, et il faut la dater plus tôt, au moins en 1917, vers 1916 peut-être, au moment où Chagall étudie les deux têtes — son propre portrait et celui de Bella en deux œuvres : le dessin de 1917 (F. Meyer 1964, cat. ill. 277) et l'huile de 1916 (id., cat. ill. 278). On sait, d'autre part (voir notre n° 42), que la tête de Chagall figurait dès 1915 derrière un portrait de Bella. L'artiste lui-même qualifie d'ailleurs cette feuille d'« esquisse ».

Elle est importante pour notre propos, dans la mesure où elle fonde toute l'étude d'une composition où la couleur tiendra une part essentielle sur un rapport de noirs et de blancs. D'autre part, cette esquisse manifeste une reprise de thèmes de la période parisienne : *Dédié à ma fiancée*, 1911 (doc. 7) montre une femme juchée sur les épaules d'un homme ; ou bien de thèmes contemporains : *La Promenade*, tableau dans lequel Chagall s'est représenté, brandissant Bella dans le ciel comme un drapeau, *Au-dessus de la ville* où le couple flotte au-dessus des toits (voir doc. I et II illustrant le texte de Claude Esteban), enfin l'*Apparition* (F. Meyer 1964, p. 264) où un ange descend à la rencontre de Chagall devant le chevalet. L'ensemble de ces métaphores du lien entre le ciel et la terre apparaissent donc comme les expressions diverses, et toutes monumentales, d'une même préoccupation de l'artiste dans ces années 1917-18.

46
L'Enfant au jardin, 1921

Dessin au crayon et à l'encre de Chine, rehaussé à la gouache, sur papier blanc collé en plein.
205 × 180
Signé en bas à droite au crayon : *M. Chagall.*

Paris, collection particulière.

46   (en couleur p. 122)

Si ce dessin représente la fille de l'artiste, il est difficile d'imaginer qu'il s'agit là d'une enfant de trois ans ; cette première remarque en entraîne une autre : il va de soi qu'il faut voir dans ce jardin celui de l'institution pour enfants dont les familles avaient été victimes de la guerre, à Malakhovka dans les environs de Moscou. Mais Chagall ne commence à y enseigner la peinture et n'y installe donc sa famille qu'en 1921. Le dessin, signé mais non daté, peut être placé à cette époque. Ida avait donc cinq ans, ce qui rend sa silhouette ici plus plausible.

Néanmoins, le réalisme ne tente pas Chagall à ce point : il s'agit ici d'une série de notations rapides — la couverture, une silhouette au loin, les troncs des arbres — prises sur le motif, une très calme image d'un monde où les enfants entourent alors Chagall : « Je les aimais — dit-il en parlant de ses élèves. Ils dessinaient. (...) Longtemps je me suis extasié sur leurs dessins, de leur balbutiement inspiré, jusqu'au moment où j'ai dû les abandonner. » *(Ma Vie)*. De fait, au cours de l'été 1922, Chagall quittait la Russie.

47
Portrait d'Alia Eliacheff, 1919

Crayon sur papier.
330 × 235
Dédicacé, signé en haut à gauche, en russe, au crayon : *Docteur I.Z. Eliacheff et Alia en souvenir. M. Chagall, février 1919.*

Bibliographie :
F. Meyer 1964, cat. ill. 283.

Jérusalem, The Israël Museum.

47

Alia Eliacheff est le fils du Docteur Eliacheff dont Chagall fit également le portrait au crayon un an plus tôt (doc. 29). Ils s'étaient rencontrés à la fin de 1915 chez le collectionneur Kagan-Chabchaj à Saint-Petersbourg. Le Docteur écrivait sous le nom de Baal-Mashshowess, et devint un familier des Chagall à Moscou. Il aida notamment le peintre à organiser une ultime exposition de ses œuvres à Kaunas, avant que celui-ci ne quittât définitivement le pays. On trouve aussi le Docteur Eliacheff à Berlin en 1922, auprès de Chagall.

L'amitié qui lie les deux hommes produisit ce dessin soigné et affectueux, l'un des plus classiques de ce rassemblement, précieux entre tous pour montrer à quel point Chagall maîtrise la représentation de la figure et sait en même temps organiser autour d'elle un ensemble de déplacements du réel vers l'irréel : objets usuels, lessive, table, tout cela semble s'agiter d'une vie secrète autour du jeune garçon au regard intense et absent.

48
Le Départ pour la guerre, 1914

Plume et encre noire sur papier.
217 × 175
Signé en bas à droite à l'encre : *Marc Chagall. 14.*

Berne, collection E.W. Kornfeld.

Plusieurs œuvres de Chagall avant 1914 mettent en scène des soldats : ce sont des soldats pacifiques, soit qu'ils lutinent des paysannes (1911, F. Meyer 1964, p. 118 et 121), soit qu'ils boivent devant des tables d'où verres et vaisselle s'envolent (1912, *id.*, p. 184). Une gouache de 1912, *Soldats* (doc. 38), accuse la rusticité de ces modèles, que Chagall présente tout crûment dans *Ma Vie* : « Des militaires, moujiks en bonnets de laine, chaussés de laptis, passent devant moi. Ils mangent, ils puent. L'odeur du front, l'haleine forte des harengs, du tabac, des puces. » La guerre russo-japonaise avait déjà occupé l'enfance du peintre, ses troupes avaient acquis un banal droit de cité dans le paysage. Celle de 1914 prend un tout autre tour.

C'est, en effet, à cause de la déclaration de guerre que Chagall ne put regagner Berlin et Paris comme il en avait l'intention. Il fallut ensuite échapper au front et au service actif : le peintre passa une partie de la guerre dans une obscure administration. Mais, surtout, l'horreur des combats suggère au peintre un tout autre type d'œuvre, dans une technique incisive et des rapports d'ombre et de lumière délibérément violents. Notre dessin appartient à cette série dramatique.

On connaît plusieurs de ces feuilles dessinées à l'encre noire à grands aplats liés aux blancs à coups de hachures, de pointillés, de dégradés. Elles sont toutes de 1914 : *La Guerre* (doc. 27) ; *Le Soldat blessé (id.*, p. 242); *L'Infirmière et le soldat (id.*, p. 249) ; *Soldat blessé (id.*, cat. ill. 218) ; elles sont accompagnées de gouaches ou de petites huiles sur carton (F. Meyer 1964, cat. ill. 210 à 217) dont une, *Le Départ* (n° 216), montre les trois visages des parents et du fils tout empreints du plus grand pathétique, sur fond de convois ferroviaires.

Notre dessin est autrement plus étrange et moins anecdotique. Il est composé à la façon des *Vieillards* de 1914-15 (doc. 39) — face et profil associés — bien qu'ici le soldat soit vu de dos, déjà parti en quelque sorte. La séparation des époux ou des fiancés trouve son expression paroxystique dans le cri muet et l'œil révulsé de la femme. L'immobilité des deux figures amplifie ici la véhémence de la plainte.

48

doc. 38

doc. 39

49

Page de titre pour Le Prestidigitateur, 1914

Crayon et encre noire à la plume sur papier crème découpé et collé sur un fond de papier gris.
305 × 218 (ovale)
Signé en bas à droite dans l'ovale, à l'encre et en russe : *Chagall 1914*.
En yiddish dans le dessin : *Le Prestidigitateur*.

Bibliographie :
F. Meyer 1964, cat. ill. 251.

Saint-Paul-de-Vence, collection de l'artiste.

Voir n° 51.

50

Esquisse d'une illustration pour Le Prestidigitateur, 1915

Crayon, encre noire à la plume et au pinceau et rehauts de gouache blanche sur papier crème.
225 × 180
Signé en bas à droite à l'encre : *Marc Chagall 1915*.

Jérusalem, The Israël Museum.

Voir n° 51.

51

Illustration pour Le Prestidigitateur, 1915

Crayon, encre noire à la plume et rehauts de gouache blanche, léger lavis de gris sur carton blanc.
219 × 180
Signé en bas à droite à l'encre : *Chagall 1915* et en russe : *Chagall*.

Bibliographie :
F. Meyer 1964, p. 253 ; *Ma Vie*, 1957, repr. p. 226.

Saint-Paul-de-Vence, collection de l'artiste.

Alors que les dessins de 1914 n'étaient pas destinés à accompagner un texte et apparaissaient donc comme de libres compositions, ceux-ci témoignent de la première confrontation de Chagall avec le livre. Loin de créer des œuvres indépendantes, des tableaux à reproduire, il prête la plus grande attention à la plastique même de la page écrite et du caractère, songeant aux modifications inévitables qu'entraîne dans la qualité du dessin le passage de la plume sur le papier à l'imprimerie. La réduction de l'œuvre lui suggère des contrastes aigus, auxquels les dessins de guerre (documents sous le n° 48) le préparaient. La page de titre (n° 49) en est d'ailleurs contemporaine, et montre une volonté de soumettre le dessin — son intervention dans l'œuvre complexe et collective qu'est un livre fait à deux — à la structure de la page entière. Par ailleurs, le choix de montrer le personnage endormi suggère que le conte qui suit se déroule en rêve à la fois dans la mémoire du dormeur et dans l'imagination du lecteur. Le second dessin est probablement une première idée pour le troisième. Les rehauts de gouache correspondent à des repentirs, et la répartition du noir donne à la présence de la table toute servie et des chaises le caractère d'une apparition éblouissante hors de la nuit. Le troisième dessin, définitif, montre le prestidigitateur, auteur du miracle, dont F. Meyer signale la ressemblance de la silhouette avec une lettre hébraïque.

49

50

52

51

Le livre de J.L. Peretz et de Marc Chagall parut en yiddish à Wilno, chez l'éditeur Kletzkin en 1917, et contient un troisième dessin non présenté ici.

52
Vieille Femme au coq, 1914

Encre noire sur papier (une feuille d'un carnet, bord dentelé à gauche).
107 × 162
Signé en bas à droite au crayon : *914 Chagall*.

Paris, collection particulière.

Les deux contes en vers de Nister, *Avec le coq* et *Avec la petite chèvre*, parurent en un seul volume et en yiddish à Wilno chez l'éditeur Kletzkin en 1917. L'ouvrage dut donc sortir en même

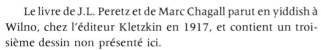

doc. 40

temps que *Le Prestidigitateur* (n°s 49 à 51) mais comptait plus de dessins : huit vignettes et un dessin de couverture.

Ces neuf feuilles se trouvent aujourd'hui au Musée d'Etat russe à Léningrad ; elles furent exposées en novembre 1916 à la galerie N.E. Dobitchina de cette même ville avec quatre tableaux et soixante autres dessins. La couverture associe le coq et la chèvre au titre en yiddish (doc. 40) et l'une des illustrations montre une vieille femme portant un coq (doc. 41), si proche de notre feuille que l'on peut penser qu'il s'agit ici d'une première idée pour le livre.

Un autre intérêt s'y attache : l'usage d'une dentelle légèrement chargée d'encre et appliquée sur le papier, comme on peut en voir ici le résultat, apparaît pour la première fois et annonce les travaux de 1920-21 (n°s 65 à 68).

doc. 41

53

Le Peintre à la tête renversée, 1915

Crayon et encre noire au pinceau sur papier brun.
190 × 197
Signé en bas à droite à l'encre : *Chagall 1915*.

Expositions :
1953, Turin, n° 184 repr.

Saint-Paul-de-Vence, collection de l'artiste.

Ce dessin est à rapprocher de l'huile sur carton de la collection Louis Stern à Philadelphie, *O Dieu* (F. Meyer 1964, cat. ill. 120), commencée en 1911 en même temps que *Le Saint Voiturier* de 1911-12 (doc. 44 sous n° 54) : ces deux compositions montrent des personnages aux têtes renversées, annonçant *Le Poète ou Half Past Three* de la collection Louise et Walter Arensberg, dans le même musée (doc. 19 sous n° 34).

La composition est une combinaison de l'*Autoportrait aux sept doigts*, où Vitebsk apparaissait dans un nuage, et des œuvres précédemment citées. Une autre feuille représente le même personnage, assis sur un tabouret cette fois, et pourrait être l'une des esquisses en 1911 pour *Le Poète* (doc. 42).

Ces dessins de 1911 et 1915 connaissent un destin nouveau lorsque Chagall reprend cette figure et l'opposition si efficace du blanc et du noir pour fournir une couverture à la première monographie importante sur son œuvre (doc. 43) : alors que les noms des auteurs s'alignent rigoureusement dans le haut de la composition — « Abram Efross » et « J. Tugenhold » — et accompagnent le corps du personnage, le titre « L'Art de Marc Chagall » s'incurve en bas et ne peut se lire qu'à l'envers, comme y invite sa tête renversée. Le dessin de la couverture est plus aéré, le nuage est devenu une couronne de feuilles. Dessin et caractères, que le peintre a lui-même dessinés, participent à parts égales à l'équilibre de la feuille.

54

Hommage à Gogol, 1919

Aquarelle sur papier.
393 × 502
Signé en bas à droite : *M. Chagall 917*.

Provenance :
Collection Lillie P. Bliss.

Bibliographie :
F. Meyer 1964, cat. ill. 291.

Expositions :
1975, New York, n° 14 repr.

New York, The Museum of Modern Art.

Le lien entre Chagall et Gogol est ancien et étroit : avant même qu'il n'illustre *Les Ames mortes* en 1923, Chagall travaille sur ses textes dès 1919. Il reçoit la commande par le Théâtre d'Essai de l'Ermitage des décors de deux pièces : *Les Joueurs* et *Le Mariage*, auxquels sont liés ce dessin, une composition libre, et le suivant, une esquisse de décor, que la chronologie établie par Franz Meyer permet donc difficilement de maintenir en 1917, comme le voudraient les deux signatures-dates.

53

doc. 44

doc. 42

doc. 43

54

doc. 45

Un groupe entier d'œuvres s'y rattache : outre les trois dessins et la peinture regroupés sous le numéro précédent (n° 53, doc. 42 et 43), il faut citer *Le Peintre* de 1918-19 (collection particulière, Moscou, F. Meyer 1964, cat. ill. 295) et un *Homme à la tête renversée* non daté *(id.,* cat. ill. 296), mais très proche du *Saint Voiturier* qu'il faut citer ici comme l'origine de toute cette famille de personnages.

Le Saint Voiturier de 1911-12 (F. Meyer 1964, p. 160) avait d'abord été peint par Chagall tel que nous le montrons (doc. 44). C'est Walden qui, lors de l'exposition de juin 1914 à Berlin, accrocha le tableau tel que nous le voyons aujourd'hui, conformément au doc. 45. La composition fondée sur le cercle ne perd rien à ce changement, à tel point que Chagall lui-même poursuivit de plus belle cet exemple : en 1914, il construit un *Homme à la Thora* (F. Meyer 1964, cat. ill. 201) sur un arc et le renverse au mépris de tout équilibre — sinon celui de l'œuvre elle-même. Ici, les mots russes « Hommage à Gogol », la couronne de lauriers et la petite église sur le pied du peintre répondent à l'arabesque impérieuse sur laquelle le peintre articule son propre portrait.

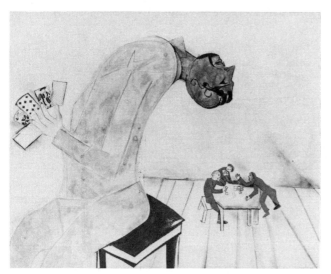

55

55
Esquisse de décor pour Les Joueurs, 1919

Aquarelle et gouache sur papier.
390 × 237
Signé en bas à droite à l'encre : *Chagall 917.*

Provenance :
Collection de M. et Mme William Preston Harrison.

Bibliographie :
F. Meyer 1964, cat. ill. 249.

Los Angeles, Los Angeles County Museum of Art.

Le Saint Voiturier (doc. 44) est à nouveau la source de cette composition, dont on peut imaginer aisément l'effet comme décor de théâtre. Commandé par le Théâtre d'Essai de l'Ermitage, il ne fut cependant pas réalisé. Néanmoins, si la commande date de 1919 (F. Meyer 1964, p. 289), il faut mettre en doute la date inscrite, comme pour l'*Hommage à Gogol* précédent (n° 54).

56
Derrière le village, 1916

Encre noire à la plume sur papier crème (feuille détachée d'un carnet).
319 × 222
Signé en bas à droite à l'encre : *Chagall 1916* et en bas à gauche, de biais : *Marc Chagall.*

Bibliographie :
F. Meyer 1964, p. 271 et légende sous numéro erroné 279 : *L'Homme qui porte la rue.*

Saint-Paul-de-Vence, collection de l'artiste.

La liberté prise par Chagall avec les paysages connaît des applications très tôt : dans la partie supérieure de *Moi et le village* de 1911, deux maisons sur six pointaient leur toit vers le bas. Dans le tableau de la collection Culberg à Chicago, daté 1919, *N'importe où hors du monde* (F. Meyer 1964, repr. in-texte p. 306), l'artiste fait tourner d'un quart de tour, le long du bord gauche de la toile, toute la ville. Les deux idées de bouleversement du sens des choses et d'utilisation du village comme « personnage » se retrouvent ici. Bouleversement

56

plastique qui correspond d'ailleurs à l'état du pays, à l'incohérence de la vie en Russie dans ces premières années révolutionnaires. Caché derrière le village, la figure risque un œil sur un monde étranger.

57
Acrobate, 1918

Encre noire à la plume ; traces de sanguine en rehauts et de crayon pour une mise au carreau ; sur carton crème, sur lequel a été collé un passe-partout.
Dim. du dessin avec le passe-partout : 412 × 319
Dim. de la fenêtre : 313 × 220
Dim. données par F. Meyer (1964) pour le dessin : 310 × 210.
Signé en bas à droite à l'encre : *1918 Marc Chagall.*

Bibliographie :
F. Meyer 1964, p. 297.

Saint-Paul-de-Vence, collection de l'artiste.

Avant-coureur du décor des murs du Théâtre d'Art juif que Chagall peignit en 1920-21, l'*Acrobate* de 1918 est également lié à la période parisienne. On sait combien Chagall est amoureux du cirque, en ce qu'il offre l'expression la plus élevée et la plus simple du destin de l'humanité, des élans et des faiblesses de la créature, la métaphore la plus directe de l'artiste et de sa part du monde. Il partage en cela l'attirance de bon nombre d'artistes du 19e siècle, en particulier les impres-

57

Dès 1913-14, il peint les *Trois Acrobates*, dont la figure centrale s'allonge de bas en haut du tableau : ici aussi, il semble que le personnage, dont les caractéristiques renvoient en définitive peu au cirque, ait pour unique souci de s'élever dans la feuille et dans le ciel, juché sur son violon et quittant ses souliers.

On retrouve la chèvre et le coq de Nister (n° 52) tous deux acrobatiques aussi. La casquette et la barbe du paysan russe, l'étoile de David contribuent à ce choc de différents sens que le rythme du dessin lui-même — où les vides sont des silences nécessaires — accompagne.

Ce dessin fit plus tard, en 1924, l'objet d'une transcription en gravure, pour être publiée dans l'*Album des Peintres graveurs*, chez Ambroise Vollard à Paris. L'album entier ne parut jamais.

58
L'Etude, 1918

Encre noire à la plume sur papier vergé crème.
248 × 342
Signé en bas à gauche à l'encre : *1918* et en bas à droite à l'encre en yiddish : *Chagall*, en français : *Marc Chagall*.

Bibliographie :
F. Meyer 1964, cat. ill. 262.

Saint-Paul-de-Vence, collection de l'artiste.

Ce dessin reprend un schéma arrondi qui avait déjà séduit Chagall dans ses illustrations pour Nister (n° 52) ou pour *Le Juif errant*, conte pour lequel il donne plusieurs dessins de format cintré (Musée d'Etat russe, Léningrad). Celui-ci pourrait d'ailleurs appartenir à cette série. Il montre des élèves de la Yeshiwa, ou école rabbinique, où les jeunes étudient et discutent la Bible et le Talmud — parfois violemment comme le montre le profil véhément du personnage au centre.

sionnistes. Le *Clown* de Renoir (Musée Kröller-Müller, Otterlo) témoigne non seulement de cette utilisation du cirque pour livrer d'autres sens, mais a de surcroît très probablement inspiré à Chagall son *Cirque* de 1937-38.

58 1918

59
(en couleur p. 123)

60
(en couleur p. 123)

59
Esquisse pour La Voiture d'enfant, 1916-17

Encre noire à la plume, rehaussé d'aquarelle, sur papier blanc.
465 × 630
Signé en bas à gauche à l'encre, en yiddish : *M. Chagall* ; en bas à droite à l'encre,
en russe : *M. Chagall*.
Au dos, dédicace en russe à Ida Chagall : *Idotchka, ma très chère petite fille,
j'aimerais beaucoup que tu aies chez toi le dessin dont ta maman, mon adorable sœur, en
son temps m'a fait cadeau. Je voudrais que tu te souviennes toujours de ton oncle et de ta
tante Ania. Je t'embrasse, toi, Franz et les enfants.*

Provenance :
Iacov Rosenfeld.

Bibliographie :
F. Meyer 1964, cat. ill. 255.

Paris, collection Ida Chagall.

60
Esquisse pour Pourim, 1916-17

Encre noire à la plume, rehaussé d'aquarelle, sur papier blanc.
475 × 645
Signé en bas à gauche à l'encre, en yiddish : *M. Chagall* ; en bas à droite à l'encre,
en russe : *M. Chagall*.
Au dos, dédicace en russe à Ida Chagall : *Idotchka chérie, ta mère ma sœur en 1917
m'a fait cadeau de ce dessin. Je voudrais beaucoup qu'il soit chez toi. Permets-moi de te le
remettre. Ton oncle Iacov.*

Provenance :
Iacov Rosenfeld.

Bibliographie :
F. Meyer 1964, cat. ill. 259.

Paris, collection Ida Chagall.

Ces deux grands dessins (nos 59 et 60) furent donnés à Ida Chagall par le frère de sa mère après la dernière guerre. Ils étaient des cadeaux de Bella, en 1917, et des projets pour des peintures murales qui ne furent jamais réalisées.

Elles avaient été demandées à Chagall pour décorer une école juive, à l'intérieur de la grande synagogue de Pétrograd, l'ancienne Saint-Petersbourg. Au nombre de trois, elles concernent deux fêtes juives : *La Fête des Tabernacles* (F. Meyer 1964, cat. ill. 257) et *Pourim* ; la troisième représente une *Voiture d'enfant* dans un intérieur. *La Fête des Tabernacles* était en 1964 dans une collection particulière à Léningrad.

Ces deux esquisses, d'une qualité de composition et d'une liberté d'invention remarquables — notamment devant la scène familiale — présentent également l'intérêt de constituer la première confrontation de Marc Chagall avec l'espace du mur, avant les peintures du Théâtre d'Art juif. Si *La Voiture d'enfant* et *La Fête des Tabernacles* restent subordonnées à la peinture et aux lois qui régissent la création d'une troisième dimension, *Pourim*, au contraire, atteint d'un coup l'échelle monumentale : l'espace n'est plus défini par des murs ou un parquet mais par la position des figures dans l'espace — grand, moyen, petit, d'avant en arrière — dans un réseau de perspectives multiples et volontairement mélangées. Au monde statique, auquel appartiennent la mère partageant le gâteau traditionnel de Pourim entre les enfants et la maison à gauche, s'oppose le monde en marche du personnage principal, dynamique par le jeu de ses jambes et aussi par l'effet très fort du carreau du pantalon (voir aussi notre n° 46).

L'usage fréquent de ces esquisses, demeurées dans les cartons du peintre, est de s'en inspirer pour de nouvelles œuvres. Aussi connaît-on une *Visite chez les grands-parents* (F. Meyer 1964, cat. ill. 256), reprise de *La Voiture d'enfant*, et une *Fête des Tabernacles* à l'huile (*id.*, cat. ill. 258). Néanmoins, le thème le plus fécond est celui du personnage en marche (voir n° suivant).

61
Le Voyageur, 1917

Encre noire sur papier blanc.
253 × 395
Signé en bas à droite à l'encre : *Marc Chagall* et dans le dessin, sur la jambe droite : *Chag all*.

Saint-Paul-de-Vence, collection de l'artiste.

A la suite de compositions où les figures déploient les immenses ciseaux de leurs jambes : *Pourim*, 1916-17 (n° 60), *Au pas cadencé*, 1916 (F. Meyer 1964, cat. ill. 300), Chagall peint une aquarelle datée 1917 (collection particulière au Canada, F. Meyer 1964, cat. ill. 290), dont notre dessin est l'équivalent en noir et blanc. Une légère différence dans la coiffure, le vêtement nous font hésiter à en faire l'esquisse, d'autant plus que Chagall à cette époque pratique le dessin à la plume pour lui-même.

Il s'agit ici d'une œuvre en soi, sur le thème du mouvement que le peintre crée non seulement en lançant sa figure sur la diagonale, de toutes les lignes la plus dynamique, mais encore en la poussant d'accents de noir plus forts jusqu'à l'éclaboussement d'encre qui tient lieu de chevelure au personnage.

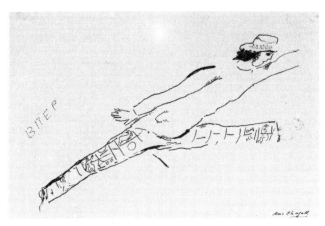

61

Les lettres *BMEP* en russe correspondent au début des mots « en avant ». Il est possible que l'aquarelle et ce dessin aient servi de projets de décoration pour la ville de Vitebsk à l'occasion du premier anniversaire de la Révolution, en octobre 1918 (les annonces dans le *Vitebsky Listok* sont du 26 septembre et du 4 octobre 1918). Elles sont en tout cas d'un esprit proche de deux projets faits à cette occasion par Chagall, et mis au carreau : *Guerre au palais* (F. Meyer 1964, cat. ill. 279) et *Le Cavalier (id.*, cat. ill. 280), l'un montrant un homme en course mais cette fois-ci de face, l'autre figurant un cheval et son cavalier, plus statiques, mais lancés dans un ciel que borne, loin en bas, une ville.

Une huile sur carton plus tardive, *Le Voyageur*, 1919-20 (*id.*, cat. ill. 305), reprend notre dessin mais le mêle à un décor de couleurs en carrés, très géométrique. En 1920, *L'Enlèvement*, présenté ici sous le n° 66, ajoute au personnage en marche une seconde figure. Enfin, l'*Introduction au Théâtre d'Art juif* de 1920-21 (nos 75 et 76) reprend cette composition active pour les personnages du violoniste et d'Abraham Efross en bas à gauche. Enfin, l'*Hommage à Gogol* de 1919 s'inscrit dans cette suite de figures en marche, au bout de laquelle on peut placer *Le Village en marche* de 1920 (n° 62), comme l'expression pure de cette fascination pour l'énergie vitale qui anime tout autant l'homme que la société qui l'entraîne à cette époque.

62
Le Village en marche, 1920

Encre noire sur papier crème.
330 × 290
Signé en bas à gauche à l'encre : *Marc* ; en bas à droite à l'encre, en russe : *Moscou* ; en français : *1920 Chagall*.

Bibliographie :
F. Meyer 1964, p. 302.

Saint-Paul-de-Vence, collection de l'artiste.

La synthèse du paysage, au-dessus duquel vole l'homme en marche, et du mouvement qui l'anime donne cette étrange et réjouissante figure, complétée d'un détail qui ne laisse aucun doute sur le sexe auquel appartient le phénomène, symbole d'énergie et de création, tout aussi important que la fumée qui s'échappe de la dernière maison, celle d'une cheminée ou

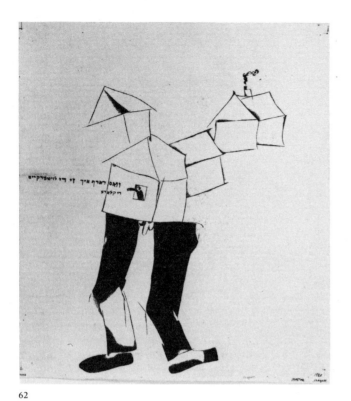

62

63

d'une locomotive ? Ce type d'association, inexplicable comme l'est la poésie, évoque le poème qu'Apollinaire écrivait pour Chagall quelques années auparavant à Paris : « ... Je m'en allais à la campagne avec une charmante cheminée/Tenant sa chienne en laisse... »

Mais le vrai sens de la composition est à chercher dans l'exemple que Chagall tire de l'écriture hébraïque : sa qualité plastique la lui fait utiliser dans la composition même, où les mots inscrits en yiddish signifient : « A quoi servent-elles, la sincérité, la pureté ? », déclaration passablement pessimiste à un moment où Chagall a déjà connu de graves désillusions à la tête de l'Académie des Beaux-Arts de Vitebsk : il donne sa démission en novembre 1919 et n'y revient qu'à l'extrême fin de l'année, puis en mai 1920 abandonne définitivement Vitebsk pour s'installer à Moscou.

Enfin, c'est l'allure générale de la figure qui reprend la composition de la lettre hébraïque Aleph, qui signifie « Dieu » dans le langage kabbalistique, et rappelle le titre en lettres hébraïques que Chagall composa pour le journal *Schtrom* à la même époque (doc. 1).

63
Page de titre pour Tristesse, 1919

Encres noire et rouge sur carton blanc.
468 × 337
Signé en bas à droite à l'encre : *1919 Chagall.*

Bibliographie :
F. Meyer 1964, cat. ill. 327.

Saint-Paul-de-Vence, collection de l'artiste.

Voir n° 64.

64
Illustration pour Tristesse : L'Homme au fusil, 1920

Traces de crayon et encre sur papier blanc.
362 × 243
Signé en bas à gauche à l'encre : *Marc* et en bas à droite à l'encre : *Moscou 1920 Chagall.*

Bibliographie :
F. Meyer 1964, cat. ill. 328.

Expositions :
1953, Turin, n° 195.

Saint-Paul-de-Vence, collection de l'artiste.

Trauer, « Tristesse », ensemble de poèmes en yiddish de David Hogstein, est publié à Kiev en 1922 avec six dessins dans le texte, un dessin en couverture et un en page de titre. Ce dernier (n° 63) mêle au mot dessiné par Chagall en biais d'autres caractères en yiddish qui rétablissent l'horizontale, et qui semblent sortir, à l'instar de phylactères, des bouches de deux têtes l'une au-dessus de l'autre. Une infime indication — les deux axes perpendiculaires, dessinés en biais au trait — est à rapprocher du même motif dans l'esquisse contemporaine, la même année 1920, du décor pour *Le Baladin du Monde occidental* de Synge (n° 90). La délicatesse de l'ensemble de cette encre va jusqu'au travail de détail de chaque élément : ainsi, dans la dernière lettre du titre en bas, Chagall a-t-il dessiné un petit enterrement qui vient de ses tableaux plus

64

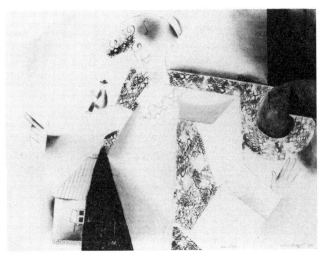

65

tillés, tout en évoquant la délicatesse d'une étoffe féminine. L'emploi de l'or vient ici ajouter au raffinement.

La figure, ardue à reconstruire dans ce réseau de lignes et de facettes déconcertant, sépare le personnage assis du toit de la maison dans lequel on peut voir l'oncle Neusch tel que le décrit Chagall dans *Ma Vie*.

66
L'Enlèvement, 1920

Encre noire à la plume et trace d'encre ou de lavis violet sur papier gris (une feuille détachée d'un carnet).
340 × 470
Signé en bas à droite à l'encre : *Chagall Marc 20.*

Bibliographie :
F. Meyer 1964, p. 280.

Expositions :
1953, Turin, n° 193 repr.

Saint-Paul-de-Vence, collection de l'artiste.

Cette feuille est essentiellement liée à deux œuvres de Chagall de la deuxième période russe : *Au-dessus de la ville* (voir doc. II dans le texte d'introduction à notre catalogue, par Claude Esteban) de 1917-18 et *Le Voyageur* (notre n° 61), où le début du mot « En avant » était déjà construit sur un demi-cercle invisible à l'image de celui qui est ici décrit — et qui porte d'ailleurs aussi un mot en yiddish.

66

anciens et justifie peut-être l'autre traduction que l'on a faite du mot *Trauer* : « Deuil ».

L'une des illustrations, *L'Homme au fusil* (n° 64), témoigne de la même finesse : le pointillé ménage un passage entre le noir dense de l'encre et le blanc du papier, le chien du chasseur — à moins qu'il ne s'agisse de la bête qu'il chasse, loup ou renard — se promène sur sa joue, l'incohérence que fait naître la confusion du haut et du bas constitue elle-même un élément du langage poétique assorti aux mots des poèmes qu'il accompagne.

65
Le Rêve, 1920

Crayon, encre, gouache, or et feuille d'or sur papier crème (une feuille détachée d'un carnet, dentelée sur le bord droit).
321 × 432
Signé en bas à droite au crayon : « *La rêve* » *Marc Chagall 920.*

Provenance :
Don de Solomon R. Guggenheim, 1941.

New York, The Solomon R. Guggenheim Museum.

Cette œuvre précieuse, qui ne figure pas dans le catalogue de F. Meyer en 1964, ouvre ici une suite de dessins pour lesquels Chagall emploie des applications de dentelle. Le procédé apparaît pour la première fois dans ce rassemblement avec la *Vieille Femme au coq* de 1914 (n° 52). Chagall pouvait participer à l'époque aux explorations des cubistes qui dans leurs collages incluent tant de matériaux inattendus : il s'agit ici d'un parti un peu différent, d'un procédé pour fondre le noir et le blanc ensemble comme le permettaient les hachures et poin-

La volonté de construction apparaît bel et bien dans cette feuille : une ligne au crayon a été tracée en diagonale, puis effacée à la gomme ; celle-ci a laissé une trace encore visible sur le papier. Le graphisme se partage donc en trois types de textures : linéaire, en aplats et, de façon intermédiaire, en réseaux, dans lesquels caractères hébraïques et dentelle remplissent la même fonction de troubler le fond de papier pour faire naître une vibration. La grande peinture *L'Amour sur la scène* (doc. 49 sous n° 75) reprend en 1920-21, par le seul moyen du pinceau, ces arabesques et traits de plume en ajoutant une variante à nos réseaux de dentelle : les pieds du danseur sont faits de fragments de partition musicale, croches noires sur traits fins, autre écriture utilisée comme matière picturale.

67
Avec le seau, 1920

Traces de crayon et de gomme, encre de Chine sur papier vergé gris.
468 × 340
Signé en bas à droite à l'encre : *Marc Chagall 1920.*

Saint-Paul-de-Vence, collection de l'artiste.

Les animaux ne sont pas absents de ces dessins de 1919-21, contemporains de l'ensemble du Théâtre d'Art juif. La figure dansante est à la fois celle de l'acrobate et de la vache dans l'étable, deux thèmes désormais familiers. L'emploi de dentelle a été souligné dans les œuvres précédentes (n°s 65 à 68), la composition triangulaire rappelle *L'Homme pointu* (F. Meyer 1964, p. 269), non daté, mais très évidemment de la même époque.

67

68
L'Homme à la lampe, 1921

Encre de Chine sur papier fort brun.
459 × 330
Signé en bas à droite à l'encre : *Marc Chagall 921.*
Au dos, divers croquis au crayon (doc. 46).

Bibliographie :
F. Meyer 1964, repr. in-texte p. 299.

Expositions :
1953, Turin, n° 197.

Saint-Paul-de-Vence, collection de l'artiste.

68

doc. 46

doc. 47

69

Le goût de Chagall pour les grimaces apparaît dans l'autoportrait présenté ici sous le n° 44. Cette figure en serait volontiers l'équivalent inventé. Associée à la lampe, qui intervient très tôt dans l'œuvre du peintre *(L'Atelier,* 1910 ; *Nature morte à la lampe,* 1910), il semble que les contrastes de noir et de blanc soient ceux que la lumière fait naître en ombre et en lumière sur un visage.

Les croquis au dos présentent un grand intérêt. De bas en haut : figure assyrienne portant un lion, lion sortant d'une cage, tête de taureau ; deux figures portant des cruches ; homme portant la Thora et juché sur une chèvre ; Dieu le Père (copié de Tintoret, *Dieu créant les animaux,* Venise, Museo dell'Accademia, doc. 47).

69
Le Mouvement, 1921

Encre noire sur carton beige.
469 × 340
Signé, en bas à gauche, à l'encre : *1921* ; à droite au crayon : *Marc Chagall 53,* à l'encre : *Moscou Marc Chagall.*
Au dos : croquis au crayon *(Le Village),* diverses inscriptions.

Bibliographie :
F. Meyer 1964, repr. in-texte p. 17.

Saint-Paul-de-Vence, collection de l'artiste.

L'accomplissement des recherches de Chagall s'opère en quelque sorte avec ce dessin : les moulinets que les *Nus* de 1911-14 faisaient avec leurs bras, entraînés par la couleur mais aussi par l'énergie primitive de créatures issues de la nature, trouvent ici une expression analytique et une signification nouvelle.

L'hélice parfaite est créée par les bras, mais aussi par les jambes, et son impulsion lui est donnée par deux arcs noirs à droite — technique éprouvée dans le domaine de l'illustration moderne. Les pieds inversés, comme les bras, forment un S dynamique. Les acrobates, les voyageurs et les nus rencontrent ici leur source *a posteriori.* Cette silhouette est par ailleurs reprise dans *Chagall,* notre n° 71, à gauche.

De surcroît, Chagall fait de ce personnage une vraie figure idéologique : *Le Mouvement* porte la casquette du Russe de la rue, du prolétaire dont il parlait en 1919 (voir introduction à ce chapitre). Il est un de ces êtres saisis par le tourbillon révolutionnaire, qu'emporte un mécanisme irrépressible. Chagall est très proche ici des futuristes italiens autant que du Fernand Léger du *Ballet Mécanique :* où l'idée de progrès social et de dynamisme historique rejoint une forme préexistante dans son art.

70

70

L'Homme au panier, 1921

Encre noire sur papier blanc (feuille détachée d'un carnet, bord dentelé dans le haut).
322 × 222
Signé en bas à gauche à l'encre : *Russie* ; en bas à droite à l'encre : *1921 Marc Chagall.*

Saint-Paul-de-Vence, collection de l'artiste.

Chagall peint une série d'œuvres dans un style que Franz Meyer qualifie de « moins géométrique » et dont témoigne une gouache, *L'Homme à la chèvre*, peut-être exécutée pour préparer le décor mural du Théâtre d'Art juif, présentée ici sous le n° 78. La barbe, en boucles souples, l'ensemble du visage à dire vrai, manifeste une attention renouvelée pour la figure de caractère, qu'explique le titre inscrit par l'artiste dans l'œuvre : *Russie*. La figure du père qu'évoque un poisson dans le panier puisqu'il était l'employé d'un négociant de harengs, se mêle à cette évocation, peut-être au moment où sa mort accidentelle, en 1921, rapproche Chagall à la fois du milieu familial originel et du pays natal.

71

Chagall, 1918

Crayon, encre de Chine et gouache sur papier crème (feuille détachée d'un carnet).
476 × 340
Signé en bas à droite à l'encre : *Marc Chagall 1918.*

71

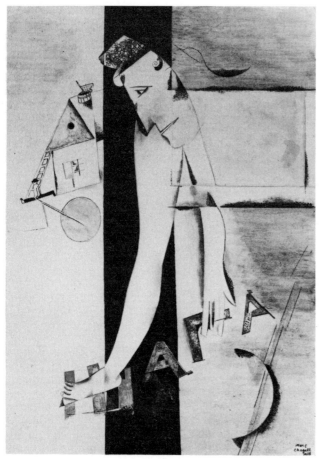

Bibliographie :
F. Meyer 1964, cat. ill. 325.

Expositions :
1953, Turin, n° 190 repr.

Saint-Paul-de-Vence, collection de l'artiste.

La participation des lettres au dessin, comme deux types d'écriture mêlés, est extrêmement fréquente au cours de ces années russes. L'idée est à la fois cubiste — les bandes de journaux incluses dans les dessins et collages de Braque, Picasso, Marcoussis, Gris, etc. — et traditionnelle dans la peinture religieuse byzantine et orthodoxe. Ici, pour la première fois, Chagall utilise son propre nom et inscrit en russe *Chaga*, dont il n'ignore pas la signification : « je marche » (voir notre introduction à ce chapitre). Aussi une jambe gigantesque, accompagnée d'un bras, vient-elle se greffer sur la tête, comme les aiguilles de la pendule symbolique d'*Adam et Eve* en 1911, comme l'homme tournoyant du *Mouvement* en 1921 — déjà partiellement peint dans le petit personnage tirant un cerceau à gauche. L'application de dentelle a fourni le décor de la casquette et de la bande noire verticale. A la suite des autoportraits naturalistes des années 1910-14, celui-ci est un portrait purement psychique d'une élégance et d'une étrangeté sans pareilles dans la suite de ces dessins, et où il semble que figure en haut à droite la feuille blanche, elle-même comme un élément de la composition, prête à recevoir la maison ou toute autre invention issue de cette tête voisine.

72

Collage, 1921

Crayon, encre à la plume, papiers découpés et collés.
342 × 279
Signé en bas à droite à l'encre : *1920 Marc Chagall.*
Au dos : *Portrait d'homme,* crayon, non signé (doc. 48).

Bibliographie :
F. Meyer 1964, cat. ill. 326.

Saint-Paul-de-Vence, collection de l'artiste.

Ce très rare collage dans l'art de Chagall, à cette époque tout au moins, est en même temps une œuvre très intime, une façon de souvenir personnel : le peintre a, en effet, utilisé pour construire cette feuille impérieuse des matériaux qui comptent à la fois pour leur aspect plastique et leur signification.

Outre la large bande de papier marbré qui évoque les cartons à dessin — ou les boîtes d'archives administratives — Chagall a utilisé un morceau de papier peint, un fragment de carton léger et surtout un découpage pratiqué dans le carton d'invitation pour l'inauguration des peintures murales du Théâtre d'Art juif. Ce carton, reproduit par Franz Meyer (1964, p. 33), permet de dater le collage de 1921 et non de 1920 comme le voudrait la date portée sur la feuille. Il décrit le décor intérieur du Théâtre d'Art juif et indique des horaires pour le voir. Enfin, un intérieur d'enveloppe domine d'un triangle sombre la composition, avec de beaux caractères yiddish formant les mots : « le grand sage ».

Chagall n'a pas poursuivi ce type de travail, en Russie, à Berlin ou à Paris. L'intérêt général des artistes pour cette

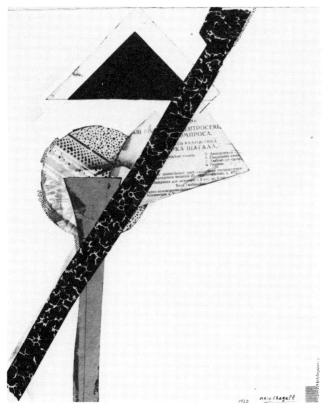

72 (en couleur p. 126)

doc. 48

technique faiblit d'ailleurs dès les années 20 à Paris, en attendant l'extraordinaire usage qu'en fera Matisse dans les papiers découpés.

Il faut attendre les maquettes de théâtre puis de vitraux pour que Chagall y revienne, ainsi que les esquisses préparatoires du *Message Biblique* — nous voulons donc dire, en réalité, les années 60.

Il n'a pas été possible d'obtenir de l'artiste une identification de l'homme dont il a fait le portrait au dos (doc. 48), d'un crayon très sûr et très classique, comparable au portrait ici montré (n° 47) d'Alia Eliacheff.

73
L'Acteur Michoëls, 1919

Crayon et aquarelle sur papier beige.
270 × 270
Signé en bas à droite à l'encre : *Michoëls 1919 Marc Chagall.*

Bibliographie :
F. Meyer 1964, cat. ill. 312.

Expositions :
1953, Turin, n° 227 repr.

Saint-Paul-de-Vence, collection de l'artiste.

Bien que Chagall n'ait commencé à travailler pour le Théâtre d'Art juif qu'à la fin de l'année 1920, il peut avoir connu Salomon Michoëls au cours d'une tournée qui mena la troupe d'Alexis Granowsky, dont Michoëls était l'acteur principal, à Vitebsk. Chagall croque son portrait, dans *Ma Vie* :

« Plus d'une fois, il s'approchait de moi, yeux et front proéminents, cheveux au vent. Un nez court, de grosses lèvres. Il suit attentivement la pensée, la devance et, par les angles aigus de ses bras et de son corps, se précipite vers l'essentiel. Inoubliable ! Il contemplait ma peinture, me priant de lui prêter mes esquisses. Il voulait se lier avec elles, s'y accoutumer et tâcher de les comprendre. Après un ou deux mois, il m'annonce tout joyeux : « Vous savez, je les ai étudiées, vos esquisses. Je les ai comprises. Ça m'a conduit à transformer complètement mon personnage. Désormais, je sais utiliser autrement mon corps, le mouvement, la parole. »

« Les angles aigus de ses bras et de son corps », Chagall ne les a pas manqués, dans cette composition sur une rigoureuse diagonale, où seuls le visage et la main appartiennent à une technique expressive de dessin. Les deux figures géométriques plaquées sur la jambe et le torse contribuent à retirer encore à cette feuille son caractère de document pris sur le vif, voire de portrait, pour la rapprocher des dessins libres précédents.

Chagall gardera des relations avec Michoëls à Paris, lorsque ce dernier y vint avec Granowsky en tournée, et à New

73

York lorsque l'acteur fut envoyé en mission culturelle aux USA par le gouvernement soviétique en 1943. Michoëls disparut mystérieusement après la fin de la guerre. Bien plus qu'avec Granowsky, c'est avec Michoëls que Chagall s'accorda, et avec lui qu'il fonda la nouvelle esthétique antinaturaliste du Théâtre d'Art juif dont témoignent toutes les esquisses suivantes.

74
L'Acteur Michoëls dans Mazeltow, 1920

Crayon et aquarelle sur papier beige.
360 × 263
Signé en bas à gauche au crayon et en russe : *Michoëls* ; au milieu, au crayon et en russe : *Mazeltow pour Sholem Aleichem* ; à droite à l'encre : *1918 Marc Chagall*.

Bibliographie :
F. Meyer 1964, cat. ill. 309.

Expositions :
1953, Turin, n° 226 ; 1969-70, Paris, n° 219 repr.

Saint-Paul-de-Vence, collection de l'artiste.

La date de 1918, qui a été inscrite ultérieurement, n'est pas exacte, puisque Chagall ne fut engagé qu'à la fin de 1920 pour réaliser les décors et les costumes des *Miniatures* de Sholem Aleichem, triptyque dont *Mazeltow* est le troisième volet (n° 81). On y retrouve néanmoins la même liberté d'invention, ajoutée à un sens aigu de l'observation : la main cassée vers l'intérieur figurait déjà dans le portrait de Michoëls précédent (n° 73). Plusieurs portraits libres de Michoëls figurent

74

également dans la grande *Introduction au Théâtre d'Art juif* (nos 75 et 76) et il est vraisemblable qu'il fut le modèle de la peinture murale consacrée au théâtre (n° 77).

75
Esquisse pour l'Introduction au Théâtre d'Art juif, 1920

Crayon et gouache sur papier beige.
175 × 480
Signé en bas à gauche au crayon : *Marc Chagall 1919.*

Expositions :
1969-70, Paris, n° 225.

Saint-Paul-de-Vence, collection de l'artiste.

En même temps qu'il préparait les décors et les costumes des *Miniatures* de Sholem Aleichem, le spectacle d'inauguration du Théâtre d'Art juif tout juste installé dans sa nouvelle salle (voir nos 79 à 81), Chagall composait le décor de la salle elle-même, en grandes toiles, destinées à être tendues, sur les murs et au plafond, selon le schéma suivant :

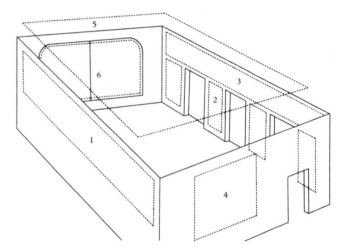

1 - *Introduction au Théâtre d'Art juif* (n° 75)
2 - Entre-fenêtres : *La Musique, La Danse, Le Théâtre* (voir n° 77), *La Littérature* (voir doc. 51 à 54 sous n° 77)
3 - Frise : *Le Mariage*
4 - Mur d'entrée : *L'Amour sur la scène* (doc. 49).
5 - Plafond
6 - Rideau de scène (doc. 50)

La moitié de ces œuvres peut se trouver aujourd'hui en réserve, mais n'a pas été publiée : le plafond (5), la frise (3) et le rideau de scène (6). Pour ce dernier, l'artiste conserve une esquisse (doc. 50). On sait, par ailleurs, que la frise représentait une table de mariage.

La peinture (4) qui ornait le mur d'entrée, *L'Amour sur la scène* (doc. 49), est aujourd'hui à la galerie d'état Tretiakov à Moscou, comme les quatre peintures d'entre-fenêtres (2) et la grande composition de quatre mètres sur douze (1) dont nous présentons ici la maquette. Elle est la seule œuvre qui témoigne encore auprès du public occidental de l'importance du travail de Chagall pour la fondation d'un art monumental qui soit de son siècle. Une photographie en noir et blanc de l'œuvre définitive a néanmoins été reproduite dans l'ouvrage de F. Meyer (1964, p. 284).

75 (en couleur p. 124)

La composition générale de cet hommage au Théâtre d'Art juif, au-delà même de la troupe de Granovsky en particulier, s'organise sur deux plans habilement mêlés : un fond géométrique de bandes vient couper à soixante ou à trente degrés l'orthogonalité de la toile. Une large bande noire vient barrer au tiers la longue frise : ce type de partage apparaît dans les dessins contemporains (nos nᵒˢ 68, 69, 71 et 72). Le second plan est constitué par la théorie des figures organisée sur la

doc. 49

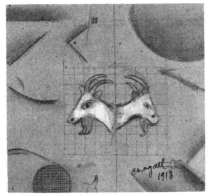

doc. 50

diagonale et portée dans un mouvement ascendant vers l'angle droit de la composition, donc vers la scène.

De gauche à droite, les personnages eux-mêmes vont du réel à l'imaginaire : Chagall a, en effet, brossé des portraits en bas : le sien, porté, comme il l'était déjà en 1917 par Bella, par son ami le critique et écrivain Abraham Efross ; c'est Efross qui avait chaleureusement recommandé Chagall à Granovsky. Le texte qu'il avait publié avec J. Tugendhold sur l'art de Chagall (voir notre nᵒ 53) avait paru à Moscou deux ans plus tôt et allait paraître en Allemagne en 1921. Plusieurs portraits de Michoëls (nᵒˢ précédents) participent à cette ascension, notamment le personnage debout au centre.

En haut, au contraire, figurent les acrobates, les artistes. Avant eux, à mi-chemin, les musiciens. Aux grands contrastes de noir et de blanc que la maquette prépare pour la partie gauche s'oppose la bouffée de lumière bleue, soutenue de violets et de verts de la partie droite.

Des éléments d'œuvres précédentes réapparaissent dans cette maquette, plus lisibles peut-être dans la peinture finale : les personnages aux deux jambes renversées en virgules viennent de l'*Hommage à Gogol* (nᵒ 54), lui-même destiné au Théâtre d'Essai de l'Ermitage en 1919. Ils forment, avec les corps et les membres des autres figures, comme une ligne écrite d'un bout à l'autre de la composition.

76
Mise au carreau de l'esquisse pour l'Introduction au Théâtre d'Art juif, 1920

Crayon, encre noire et traces d'aquarelle sur papier brun, avec mise au carreau au crayon.
180 × 480
Signé en bas à droite à l'encre : *M. Chagall 1919.*

Expositions :
1969-70, Paris, nᵒ 224.

Saint-Paul-de-Vence, collection de l'artiste.

Les rapides notations à l'encre sur ce papier fort nous portent à penser qu'il s'agit ici d'un document de travail pour Chagall, et non d'une esquisse antérieure à l'œuvre précédente (nᵒ 75).

76 (en couleur p. 124)

La mise au carreau conforte cette hypothèse, ainsi que les habitudes de travail de l'artiste dans tout son œuvre monumental à venir : le dessin précis intervient dans le processus de création après les premiers et bien souvent nombreux essais de couleurs. Il n'y a donc aucune variante dans cette feuille par rapport à la précédente, alors qu'une foule de détails nouveaux apparaîtront entre l'esquisse et la peinture.

77
Esquisse pour Le Théâtre, 1920

Crayon, encre noire et aquarelle sur papier beige, avec mise au carreau au crayon.
325 × 223
Signé en bas à droite au crayon : *Marc Chagall 1918*. Indications en russe. Au dos, au crayon en russe : *Peinture murale, Moscou, Théâtre juif, esquisse pour l'Amuseur*.

Expositions :
1969-70, Paris, n° 227.

Saint-Paul-de-Vence, collection de l'artiste.

Il est difficile d'imaginer cette esquisse, comme les autres, faite en 1918, alors que Chagall reçoit la commande de Granowsky pour son théâtre en 1920. En revanche, il est certain qu'en la comparant avec la grande peinture aujourd'hui à la galerie d'état Tretiakov à Moscou (doc. 51), elle apparaît comme son étude ultime avant le passage à l'œuvre définitive que prépare la mise au carreau. *Le Théâtre* faisait partie du décor de la salle, et était placé entre deux de ses fenêtres (voir schéma sous le n° 75).

« L'amuseur », qui est l'autre titre donné par Chagall à cette esquisse, ou « l'acteur », symbolise la vertu divertissante du théâtre : autour du personnage vêtu de la longue redingote et du bonnet noirs du ghetto, le couple de fiancés et la femme à l'éventail sourient ou rient. A mi-chemin entre le sol et la chaise, il apparaît comme une figure mythique, enlevé — non sans penser aux Ascensions des Prophètes — par l'inspiration.

Les quatre peintures reprennent ce type de procédé, générateur du même sens poétique. *La Danse* (doc. 52) anime non seulement la femme, mais aussi les arabesques de son vêtement, bientôt la toile tout entière. Le violoniste de *La Musique* (doc. 53) joue au-dessus des toits. Cette toile impor-

77

tante prépare le tableau, aujourd'hui au Solomon R. Guggenheim Museum de New York, *Le Violoniste vert* (F. Meyer 1964, p. 295). Enfin, *La Littérature* (doc. 54) montre un copiste de la Thora — dont Chagall dit qu'il est « le premier poète rêveur » — inscrire sur le parchemin blanc les signes noirs de l'écriture, entre ciel et terre.

doc. 51

doc. 52

78

doc. 53

doc. 54

78
L'Homme à la chèvre, 1919

Crayon et gouache sur papier beige.
360 × 266
Signé en bas à gauche au crayon : *1919* ; en bas à droite au crayon : *Marc Chagall*.

Bibliographie :
F. Meyer 1964, cat. ill. 330.

Expositions :
1953, Turin, n° 228 repr. ; 1969-70, Paris, n° 228 repr.

Saint-Paul-de-Vence, collection de l'artiste.

Cette feuille a toujours été présentée comme une esquisse pour une des peintures du Théâtre d'Art juif. L'absence de tout document pour la frise de *La Table de mariage* et le plafond nous interdit de qualifier cette œuvre. On peut, en revanche,

affirmer qu'aucune des compositions connues n'inclut cette figure.

F. Meyer publie le dessin dans son catalogue illustré en le datant deux fois : tout d'abord conformément à la signature, 1919, puis en le classant dans une série d'« œuvres en style moins géométrique » de 1921-22, sans préciser d'ailleurs que la feuille pourrait appartenir au cycle du Théâtre d'Art juif.

Nous avons nous-même rapproché cette gouache du dessin à l'encre *L'Homme au panier* (n° 70) de 1921. Mais il reste à élucider la signification de cette œuvre, compte tenu du geste quasi rituel que Chagall attribue à son personnage et de la proximité qu'il entretient, en effet, avec le Théâtre d'Art juif.

79
Maquette du décor pour Les Agents, 1920

Crayon, gouache et encre sur papier beige.
255 × 342
Signé en bas à droite au crayon : *Marc Chagall 1919 Moscou* ; plus bas au milieu en russe : *Pour les Agents de Sholem Aleichem Théâtre d'Etat Juif.*

Bibliographie :
F. Meyer 1964, p. 287 ; photographie p. 33.

Expositions :
1953, Turin, n° 224 repr. ; 1969-70, Paris, n° 218 repr.

Saint-Paul-de-Vence, collection de l'artiste.

Alexis Granowsky installe son Théâtre d'Art juif à Moscou, après Petrograd, en 1920. L'ouverture est préparée dès novembre et a lieu au début de 1921 avec trois petites pièces de

79 (en couleur p. 127)

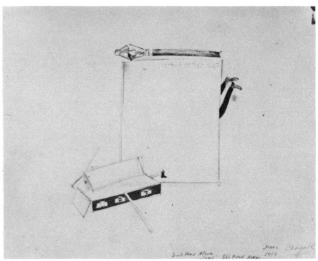

80 (en couleur p. 128)

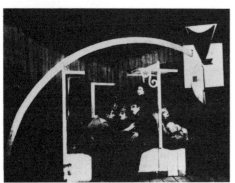

doc. 55

l'écrivain juif Sholem Aleichem, dont les œuvres étaient connues de Chagall depuis l'enfance, et regroupées sous le titre *Miniatures : Les Agents, Le Mensonge, Mazeltow*. L'artiste a conservé ses trois maquettes.

Elles sont toutes marquées par le souci de ne pas céder au naturalisme, prôné par l'école de Stanislawsky. Ici, le compartiment de chemin de fer est réduit aux banquettes et aux porte-bagages dont la béquille de fer ouvragé devient l'unique ornement, en même temps qu'une note dynamique. Un arc ferme et domine la scène en haut, représentant le parcours du chemin de fer. Une photo de l'époque (doc. 55) nous permet de constater que la construction du décor a amené Chagall à renoncer à certains éléments d'origine : la locomotive sur l'arc, les caractères à droite. Le triangle de droite a été retourné — cheminée de la machine qui emporte les voyageurs ? La fenêtre du compartiment, à peine esquissée, ne laisse voir aucun paysage. L'arc seul, tant dans la maquette que dans le décor réalisé, suffit à suggérer la vitesse et le mouvement. Il n'est pas certain que Chagall n'ait pas été trahi par la réalisation du fond — le rideau de la photographie ne permet pas d'imaginer l'équivalent somptueux que méritaient les verts d'émeraude de cette maquette. Son harmonie bicolore doit être imaginée, d'ailleurs, accompagnée des costumes bariolés prévus par l'artiste (vraisemblablement nos nos 83 à 87).

80
Maquette du décor pour Le Mensonge, 1920

Crayon et gouache sur papier.
250 × 340
Signé en bas à droite : *Marc Chagall 1919* ; plus bas, en russe : *Pour Sholem Aleichem le Mensonge Théâtre d'Art Juif de Moscou.*

Bibliographie :
F. Meyer 1964, cat. ill. 308 (noté *1920* en légende)

Expositions :
1953, Turin, n° 225 repr.

Saint-Paul-de-Vence, collection de l'artiste.

Les « petits espaces irréalistes » dont parle à ce propos F. Meyer trouvent ici un exemple particulièrement probant : les différences d'échelle, les simplifications jointes à des soucis subits de détail font de cette feuille un chef-d'œuvre de poésie. En même temps, l'évacuation de toute référence à un espace naturel et le blanc général rendent à l'acteur la prééminence : son apparition est cependant annoncée avec précaution, il pourrait bien marcher sur les mains comme cet être qui disparaît derrière le mur central — là encore couvert d'une inscription en yiddish, comme une page blanche offerte à la plume.

81
Maquette du décor pour Mazeltow, 1920

Crayon et gouache sur papier brun collé sur carton.
475 × 630
Signé en bas à droite à l'encre : *Marc Chagall 1919* ; en russe à l'encre : *Esquisse pour Mazeltow Sholem Aleichem Théâtre d'Art Juif.*

Bibliographie :
F. Meyer 1964, p. 286.

Expositions :
1953, Turin, n° 222 repr. ; 1969-70, Paris, n° 216 repr.

Saint-Paul-de-Vence, collection de l'artiste.

81   (en couleur p. 130)

82

De loin le décor le plus peint du triptyque, il est aussi un intérieur, que Chagall se doit de transfigurer : le tuyau de la cuisinière barre l'espace comme un trait le papier, son couvercle porte des caractères yiddish comme une page d'écriture. La peinture, au fond, citée de son propre travail, montre une chèvre à l'envers, tandis qu'un grand panneau noir attend la venue des acteurs qui se détacheront sur ce fond neutre.

82
Maquette de costume : Un Jeune Homme, 1920

Crayon et gouache sur papier beige.
256 × 123
Signé en bas à gauche au crayon : *Chagall.*

Bibliographie :
F. Meyer 1964, cat. ill. 311

Expositions :
1969-70, Paris, n° 220.

Saint-Paul-de-Vence, collection de l'artiste.

Voir n° 89.

83   (en couleur p. 129)

83
Maquette de costume : L'Homme à la valise, 1920

Crayon, encre noire et gouache sur papier beige.
270 × 195
Signé en bas à droite à l'encre : *Chagall 920.*

Expositions :
1969-70, Paris, n° 221.

Saint-Paul-de-Vence, collection de l'artiste.

Voir n° 89.

84 (en couleur p. 131)

85 (en couleur p. 132)

84
Maquette de costume : Femme portant un enfant, 1920

Crayon et gouache sur papier beige.
280 × 202
Signé en bas à gauche au crayon : *Chagall.*

Bibliographie :
F. Meyer 1964, p. 288.

Expositions :
1953, Turin, n° 229 repr. ; 1969-70, Paris, n° 223 repr.

Saint-Paul-de-Vence, collection de l'artiste.

Voir n° 89.

85
Maquette de costume : L'Homme au long nez, 1920

Crayon et gouache sur papier beige.
272 × 192
Signé en bas à droite à l'encre : *Chagall 920.*

Bibliographie :
F. Meyer 1964, p. 288.

Expositions :
1953, Turin, n° 230 repr. ; 1969-70, Paris, n° 222 repr.

Saint-Paul-de-Vence, collection de l'artiste.

Voir n° 89.

86

86

Maquette de costume : L'Homme au long nez, 1920

Crayon, encre noire et gouache sur papier beige.
260 × 180
Signé en bas à droite à l'encre : *Chagall* et au crayon : *1919.*

Saint-Paul-de-Vence, collection de l'artiste.

Voir n° 89.

87

Maquette de costume : Costume d'homme, 1920

Crayon, gouache et encre sur papier beige.
270 × 193
Signé en bas à droite à l'encre : *Chagall* ; au dos, au crayon : *Esquisse de costume pour Mazeltow de Sholem Aleichem au Théâtre Juif de Moscou (1920).*

Bibliographie :
F. Meyer 1964, p. 288.

Expositions :
1953, Turin, n° 230 repr.

Saint-Paul-de-Vence, collection de l'artiste.

Voir n° 89.

88

Maquette de costume : Femme au tablier, 1920

Crayon et gouache sur papier beige.
282 × 172
Signé en bas à gauche au crayon : *Chagall.*

Saint-Paul-de-Vence, collection de l'artiste.

Voir n° 89.

89

Maquette de costume : Femme en mauve, 1920

Crayon et gouache sur papier beige
273 × 191
Signé en bas à gauche au crayon : *Chagall.*

Bibliographie :
F. Meyer 1964, cat. ill. 313.

Saint-Paul-de-Vence, collection de l'artiste.

Ces maquettes de costume pour les *Miniatures* de Sholem Aleichem (n°s 82 à 89) complètent les trois décors en permettant d'imaginer le parti pris par Chagall de relatif dépouillement de ses espaces plantés — *Le Mensonge* (n° 80) étant dans sa blancheur une véritable page sur laquelle va s'écrire l'entrée des figures. Il réserve au personnage le soin de porter la couleur à l'intérieur de la composition, de la même façon que, dans la peinture murale *Introduction au Théâtre d'Art juif*, il bâtissait à gauche un fond de blanc et de noir pour y jeter ensuite ses personnages colorés (voir n° 75).

Les costumes sont, par ailleurs, porteurs d'écriture, comme les trois décors : élément plastique équivalent à un bariolage, il est aussi la marque d'une identification judaïque : le théâtre de Chagall est inscrit dans un mouvement de reven-

87

88

89 (en couleur p. 133)

dication d'une expression originale attachée à la communauté juive en Russie. On a dit en introduction à ce chapitre ce que signifiait entre autres la création du *Dibbouk* à cette époque. Il suffit ici de relever l'usage habile que Chagall en fait, sur une jambe de pantalon (n° 87), et les variantes : maisons et palissades sur une autre (n° 82).

Certains de ces personnages peuvent être définis, soit grâce à des indications, soit grâce à la photo reproduite sous le n° 79 : le *Costume d'homme* (n° 87) est créé pour *Mazeltow*, ainsi que la *Femme au tablier* (n° 88), la *Femme portant un enfant* (n° 84) doit appartenir aux *Agents*. Enfin, les deux *Homme au long nez* sont sans doute des costumes pour Michoëls, que l'on voit d'ailleurs sur la photographie au fond.

Des corrections de dates sont précieuses pour rétablir celle de 1920 pour tout cet ensemble, sous les n⁰ˢ 83, 85 et 86.

90
Maquette de décor pour Le Baladin du Monde occidental, 1921

Crayon, encre et gouache sur papier crème.
410 × 510
Signé en bas à droite à l'encre : *Marc Chagall 1921.*

Bibliographie :
F. Meyer 1964, p. 287.

Expositions :
1953, Turin, n° 245 repr. ; 1969-70, Paris, n° 213 repr.

Saint-Paul-de-Vence, collection de l'artiste.

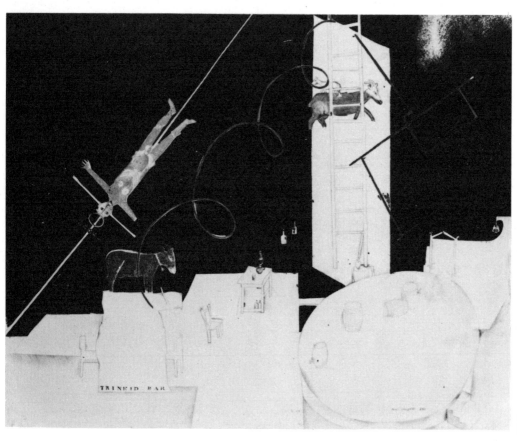

90
(en couleur p. 127)

Il semble que *Le Baladin du Monde occidental,* pièce de l'Irlandais Synge, ait été un choix de Chagall : c'est lui, en effet, qui propose ses décors et ses costumes à l'un des directeurs du Théâtre de Stanislawsky. La réponse est négative, les maquettes sont trouvées trop peu naturalistes.

De fait, le décor est un véritable aboutissement de la réflexion de Chagall sur l'espace, et la mesure que le mouvement permet d'en prendre : la spirale autant que l'axe sur lequel Chagall a placé un Christ sont des lignes dynamiques auxquelles la diagonale autant que la courbe confèrent l'énergie. Toutes deux organisent, dans leurs spires ou dans la présence étonnante d'une figure sur leur axe, un aller et retour d'un bord à l'autre de la composition qui dote d'une vraie densité l'espace traversé. Les figures présentées par ailleurs — *Le Mouvement* (n° 69), *L'Homme au fusil* (n° 64) et, bien sûr, *Le Voyageur* (n° 61) — l'engendraient ainsi dans leur parcours.

Le noir et blanc joue ici un grand rôle : le rappel des deux composantes du dessin, le blanc du papier et le noir de l'encre, n'est pas une simple coïncidence, voire une coquetterie de l'artiste. Sur le blanc, comme dans *Le Mensonge* (n° 80), vont s'inscrire les costumes des acteurs, qu'il était bon de montrer pour cette raison. Dans le noir vont se perdre, comme à l'infini, les trajectoires de la vache en marche, de l'échelle dressée, du balancier étrange, de la spirale et de la diagonale. Seules trois couleurs fondamentales — le rouge, le jaune et le bleu — ont place dans ce réseau, le rouge notamment pour appuyer l'activité de la spirale.

Cette œuvre est accompagnée, de 1917 à 1920, de nombreuses tentatives géométriques, qui ne sont pas étrangères aux travaux de Malevitch ou de Tatlin. Dans toutes, cependant, cercles et lignes sont accompagnés de figures, d'animaux et de masques — manifestant une volonté de ne jamais perdre de vue l'humain.

91

91
Maquette de costume : Kris, 1921

Crayon et gouache sur papier beige.
330 × 260
Signé en bas à droite à l'encre : *1920 Chagall.*

Bibliographie :
F. Meyer 1964, cat. ill. 317.

Expositions :
1969-70, Paris, n° 214 repr.

Saint-Paul-de-Vence, collection de l'artiste.

Voir n° 92.

92
Maquette de costume : Jeune fille, 1921

Crayon et gouache sur papier beige.
330 × 260
Signé en bas à gauche à l'encre : *Chagall 1920.*
Trace d'une signature au crayon sur la jambe gauche du personnage.

Bibliographie :
F. Meyer 1964, cat. ill. 316.

Expositions :
1969-70, Paris, n° 215.

Saint-Paul-de-Vence, collection de l'artiste.

92

Ces deux esquisses de costume pour *Le Baladin du Monde occidental* de Synge ne peuvent dater de 1920, mais accompagnaient très probablement le décor correspondant de 1921 (n° 90). Le personnage de *Kris* est néanmoins très proche des figures bondissantes de l'*Introduction au Théâtre d'Art juif,* et celui de la *Jeune Fille* est fait d'une impression de dentelle qui renvoie à la même période 1920-21 (n°s 65 à 69).

Berlin 1922-1923

Le succès des œuvres de Chagall en Allemagne après la guerre avait revêtu un aspect pour le moins paradoxal : sa peinture était connue des amateurs et des collectionneurs, mais lui-même avait été quasiment porté disparu. De plus, si Walden avait bien vendu les œuvres qu'il avait reçues en dépôt, et ceci malgré la guerre entre l'Allemagne et la Russie qui avait fait de Chagall l'artiste d'un pays ennemi, le peintre n'avait, et pour cause, pas vu l'ombre d'une rétribution.

Le séjour à Berlin, où ce succès même avait pu un moment faire penser à Chagall qu'il fallait s'y installer, est donc le moment de nouvelles désillusions : ni la société des années 20, ni le procès qu'il engage contre Walden, ni enfin la terrifiante situation économique du pays ne poussent les Chagall à s'installer vraiment. A peine réunie en 1922, la famille va chercher en Forêt Noire le repos sans doute indispensable à Bella, que les privations de 1919-21 et l'accident de 1922 avaient durement éprouvée. Ces déplacements expliquent sans doute que Chagall n'ait pas beaucoup peint. Mais cela ne signifie pas qu'il n'ait pas travaillé. Bien au contraire, il nous reste des œuvres qui témoignent d'une activité toujours débordante, dans des domaines anciens et nouveaux.

Tout d'abord, l'atmosphère familiale plus sereine, moins menacée de l'extérieur, provoque la création de nombreux portraits, qu'il nous est possible de présenter ici largement (n°s 95 à 99). D'autre part, Chagall entreprend des travaux dans deux domaines nouveaux : la gravure à l'eau-forte et à la pointe sèche, la lithographie.

Bien qu'il s'agisse d'œuvres sur papier et d'œuvres tributaires du dessin, nous les avons écartées de ce rassemblement. Il intervient, en effet, dans leur confection des impératifs techniques qui nous éloignaient de notre sujet, la matière était en même temps si dense que l'on risquait simplement d'étouffer la suite des dessins sous une quantité considérable de planches. Mais les collections de l'artiste, si riches en œuvres de toutes sortes, nous ont réservé la surprise de voir apparaître plusieurs papiers-reports sur lesquels figurent des compositions au crayon lithographique, réalisées en marge du travail (n°s 93 et 94).

Néanmoins, le dessin libre comme d'ailleurs la gouache et la peinture cèdent la place aux travaux d'édition : lithographies, eaux-fortes pour *Ma Vie* et gravures sur bois occupent la main de l'artiste et son esprit. Il est vrai qu'il vit dans un pays où la tradition des arts graphiques est jusqu'à nos jours encore la plus vivante d'Europe. Et ainsi, bien que Chagall assure que « le trait gravé et le trait dessiné sont essentiellement différents », il subsiste la nécessité de choisir entre eux. Alors qu'en Russie le second avait produit l'important ensemble dessiné que nous avons présenté, à Berlin, le premier prit le pas. C'est encore vrai de la deuxième période parisienne, qui s'enchaîne avec celle-ci. A Berlin, on peut dire que Chagall découvrit deux techniques nouvelles et que cette étape joua un rôle considérable dans les entreprises que Vollard lui proposera à Paris.

93

94

93
Tête d'homme, 1923

Crayon lithographique sur papier report (feuille détachée d'un carnet, bord dentelé à gauche)
271 × 193
Signé en haut au milieu au crayon : *Chagall*.

Bibliographie :
W. Haftmann 1972, repr. p. 20.

Saint-Paul-de-Vence, collection de l'artiste.

Voir n° 94.

94
Tête d'homme, 1923

Crayon lithographique sur papier d'Arches.
355 × 265
Signé en bas à gauche au crayon : *Marc Chagall 1923-4*.

Saint-Paul-de-Vence, collection de l'artiste.

Il existe dans les archives de la galerie Maeght à Paris une troisième feuille, une tête de jeune homme, voisine de celle-ci. Toutes trois ont été exécutées au crayon lithographique, spécialement gras. La première (n° 93) est proche du dernier style, moins géométrique, que Franz Meyer décèle dans les dernières têtes russes de Chagall et dont nous avons pu rassembler deux exemples : *L'Homme à la chèvre* (n° 78) et *L'Homme au panier* (n° 70). La technique utilisée par Chagall dans la seconde de ces deux têtes (n° 94) est originale : les motifs cruciformes du décor de la veste et de la coiffure sont réalisés avec la mine lithographique couchée sur le papier et tournée sur son centre. Le même procédé est utilisé pour le dessin de la galerie Maeght.

95

95
Bella en manteau, 1922

Crayon sur papier crème (une feuille détachée d'un carnet, le bord dentelé à gauche).
430 × 233
Signé en bas à droite au crayon : *Schwarzwald 1922 Marc Chagall*.

Paris, collection particulière.

Le séjour que Bella et Ida firent en Forêt Noire avec Chagall date « probablement » (F. Meyer 1964, p. 316) de 1923, au printemps. Il est donc nécessaire de retarder un peu la date proposée par la mention portée sur le dessin. Cependant tous les dessins de la Forêt Noire sont datés 1922, ainsi qu'un paysage à l'aquarelle sur papier, daté *922* (F. Meyer 1964, cat. ill. 339). Seule une étude de la correspondance de l'artiste permettrait donc de donner une datation exacte.

Ce rare portrait, d'une grande autorité, réunit la haute figure de Bella et celle de la petite Ida, âgée de six ans à l'époque.

96

96
Ida a Schwarzwald, 1922

Crayon noir et crayons de couleurs sur papier crème (une feuille détachée d'un carnet, le bord dentelé en bas).
233 × 300
Signé en bas à gauche au crayon : *Ida à Schwarzwald 1922 M. Chagall.*

Paris, collection particulière.

Voir n° 97.

97

98

97
Bella au corsage rayé, 1922

Crayon noir et crayons de couleurs sur papier crème collé en plein.
301 × 231
Signé en bas à droite au crayon, en russe : *Bella dans la Forêt Noire 1922 Marc Chagall.*

Bibliographie :
F. Meyer 1964, cat. ill. 336.

Paris, collection particulière.

Ces dessins renouent avec le goût que l'artiste éprouve à la fois pour les perspectives plongeantes (notre n° 43) et le jeu des couleurs d'un costume (n° 42). Le n° 96 montre également une recherche de composition dans la feuille en largeur, tout en opposant les rayures franches du vêtement avec l'arabesque du décor du sofa — fait de ces étoffes brodées ou imprimées que Bella aimait répandre autour d'elle.

98
Enfant à la poupée, 1922

Crayon lithographique sur papier report blanc (une feuille détachée d'un carnet, le bord dentelé sur la droite).
410 × 258
Signé en bas au crayon, au milieu : *M. Chagall* ; à droite *Berlin 1922.*
Mention au crayon dans le coin inférieur droit : *Ida.*

Bibliographie :
F. Meyer 1964, cat. ill. 337.

Paris, collection particulière.

Sans qu'il soit possible de dire si le dessin a été fait en Forêt Noire ou à Berlin, il est certain que la technique employée le rattache, avec la date inscrite en bas de la feuille, au groupe présenté ici. Le caractère un peu étrange de cette feuille vient de la relative incertitude quant à l'âge du jeune modèle — bien que l'on sache que l'enfant avait alors six ans — et de la juxtaposition du visage vivant et du visage inanimé de la poupée.

99
Enfant à la fenêtre, 1923

Crayon lithographique sur papier report blanc.
489 × 337
Signé en bas à droite au crayon : *1923 Ida Chagall.*

Paris, collection particulière.

Le visage rond de l'enfant, tel qu'il apparaît dans les dessins précédents, est représenté de profil, dans une attitude que Chagall inaugure ici, à notre connaissance : plusieurs œuvres à venir sont des portraits d'*Ida à la fenêtre* (doc. 72 sous n° 171). Alors que Chagall avait donné à la fenêtre une signification symbolique du dialogue entre dedans et dehors, celle-ci semble soumise ici au rôle d'un décor où placer la figure. Néanmoins, les accents, points et virgules éloignent ce portrait d'une simple composition réaliste.

99

Dans la suite touffue des événements que Chagall connut à son retour de Russie, puis pendant son séjour en France, et enfin au moment où, contraint et forcé, il quitte le pays pour l'Amérique, il est difficile de discerner ceux qui eurent une réelle influence sur son travail de dessinateur. Le problème est sans doute mal posé : Chagall n'a vraiment « dessiné » que lorsqu'il n'a pu accomplir dans la peinture un travail de peintre, auquel le dessin fut soumis. A une exception près, les encres de 1918-1921, moins due à l'indigence des temps qu'à la volonté d'explorer un nouveau moyen d'expression convenant à la violence intérieure qui l'habitait alors — protestation contre la guerre, puis désir brûlant de participer en artiste à une révolution, d'assurer l'avènement d'un idéal — à cette exception près donc, Chagall a beaucoup dessiné en marge de la peinture. Ceci posé, il resterait à définir en guise de préalable ce qu'est le dessin par rapport à tout autre moyen d'expression plastique : l'ensemble support-médium, au sens où l'on parle d'« un » dessin ; ou bien, ce qui nous paraît plus juste, le geste de dessiner, en impliquant tout ce que cela suppose de connaissance et d'invention nécessaires pour créer une autre lumière, une autre forme et un autre espace avec des moyens différents du pinceau et de la toile ? La seconde définition est sans nul doute plus utile à notre propos que la première. En effet, Chagall dessine énormément au cours de ces nouvelles années parisiennes ; mais, si le geste est le même, le résultat ne s'appelle pas toujours dessin.

Dessiner ailleurs

Chagall avait tout d'abord découvert à Berlin la lithographie. Les deux papiers-report que nous montrons (nos 93 et 94) sont de bons témoignages d'une forme dessinée destinée à la multiplication grâce à une technique qui modifiera la matière même du médium, et l'aspect de l'œuvre. Avec la lithographie, le dessin reste sur le papier-report, la pierre ou le zinc. Le tirage lithographique, lui, mène une tout autre existence.

On peut évidemment en dire autant de la gravure, même si la pointe ou le burin supposent un autre geste, un autre poignet que le crayon. La dialectique du noir et du blanc reste largement la même, ses moyens sont la hachure, la réserve, la ligne. Mais l'épreuve n'appartient plus à notre domaine. On

pourra trouver la distinction byzantine ou académique : il est de fait que montrer l'œuvre dessiné de Chagall exclut l'œuvre gravé comme la lithographie.

Or, Chagall a encore plus gravé au cours de cette période. A la suite des gravures pour *Ma Vie*, dont Cassirer, à Berlin, réunit un ensemble de vingt planches sans mener malheureusement son projet à terme, Chagall s'engage à fournir à Ambroise Vollard des ouvrages illustrés d'une quantité considérable de gravures. Certes, il lui arrive de reprendre un dessin antérieur pour donner un cuivre — comme l'*Acrobate* de 1918 (no 57) qui devient une gravure dans la troisième livraison de l'*Album des Peintres graveurs* de Vollard en 1924 — mais très vite ce ne sont que des planches originales, des « desseins » nouveaux : quinze gravures pour *Les Sept péchés capitaux* de 1926, cent dix-huit pour *Les Ames mortes* en 1924-25, puis cent encore pour *Les Fables de La Fontaine* avant 1931, cent cinq enfin pour la *Bible*, achevée en presque totalité au moment de la mort de Vollard en 1939. Une quantité de planches uniques ou de petits albums gravés complètent cet ensemble qui fait de Chagall un « peintre-graveur » au sens plein du terme.

Il ne s'agit donc pas de dire ici que Chagall dessine en gravant, mais bien de constater que la gravure, de la façon la plus évidente, la plus mécanique, lui prend le temps que le dessin demande. Or, dans la même période, Chagall peint énormément. Si l'on fait la part des œuvres très nombreuses de cette époque dispersées dans les collections particulières parce que Chagall tout simplement se met à vendre et à vendre bien, ce qui n'était pas le cas de la période 1918-22, on comprend que statistiquement on trouve chez les collectionneurs auxquels nous nous sommes adressés et chez l'artiste moins de dessins pour cette période.

Chagall Français

Il est vrai que la France de l'après-guerre, et singulièrement en 1923 lorsque les Chagall arrivent à Paris, devait représenter pour eux un hâvre de paix : la guerre, la Révolution, la dispersion sans contrepartie ni bien souvent la moindre trace de ses tableaux laissés à la Ruche, à Amsterdam ou à Berlin constituaient des épreuves chaque fois plus terribles parce que touchant l'artiste de façon chaque fois plus profonde. Ballotté depuis près de dix ans d'une ville à l'autre, Chagall pouvait rêver de stabilité.

On est frappé, néanmoins, de le voir plusieurs fois changer de lieu dans Paris. Cette fois-ci, ces déplacements sont signes de prospérité. D'une chambre d'hôtel à l'avenue d'Orléans, il passe en 1926 à Boulogne, puis en 1929 Villa Montmorency, et fait presque aussitôt faire des travaux importants dans une maison avenue des Sycomores ; en 1936, il est logé près du Trocadéro, en 1940, il achète une maison à Gordes ; aux beaux quartiers d'Aragon, mais aussi aux ateliers et à la lumière s'ajoutent les voyages en Hollande, en Espagne, en Pologne et en Palestine, de 1930 à 1935, en Italie en 1937, et de fréquents séjours à la montagne ou à la campagne. A dire vrai, les Chagall ne tiennent pas en place.

A ces paysages nouveaux viennent se joindre des amis nouveaux, un véritable cercle où figurent les relations professionnelles et les amis d'élection, sans qu'il y ait vraiment de coupure : ceux qui attendaient le retour de Chagall — Cendrars parmi eux — sont sans doute partagés entre le souvenir du jeune artiste d'avant-garde et d'avant-guerre et le désir de tout savoir sur la façon dont il avait fait « sa révolution ». A cet exotisme que Chagall cultive un peu — la photo de son appartement avenue d'Orléans est des plus pittoresques (F. Meyer 1964, p. 34) — s'ajoute le déclenchement immédiat du phénomène de la mémoire : les premières œuvres parisiennes sont des reprises de tableaux anciens, ceux qui ont été perdus ou vendus. *La Prisée* (n° 100) est de celles-là, en même temps qu'une superbe composition sur les noirs et la lumière. Mais le

travail sur *Les Ames mortes* pour Vollard appelle la création d'œuvres plus spécifiquement russes, telle cette gouache inédite (doc. 56) qui dans la même stridence des couleurs — ici la façade jaune flamboyante — dérive vers la création d'une Russie historique et de plus en plus archéologique.

Le paysage français change tout cela, et cette modification revêt un double aspect quant aux thèmes et quant à la touche : les peintures se peuplent du spectacle de la nature, des fleurs et des scènes paysannes ; elles se fragmentent en vibrations colorées, se dissolvent en vapeurs. Mais ce qui doit nous concerner ici, l'œuvre sur papier, ne se fait plus l'écho de ce travail : très peu d'aquarelles sur le motif, très peu d'esquisses au crayon. Le dessin reste la technique élue pour la figure et, surtout, les compositions monumentales. Le grand tournant que prend alors l'art de Chagall, en accord avec ses contemporains en France, vers un plus grand classicisme, une plus grande proximité avec la nature, s'accompagne d'une véritable philosophie de la couleur qui touche tous les moyens d'expression.

Chagall, en France, trouve donc à la fois une nouvelle inspiration et un milieu favorable à son travail. Les contacts avec les écrivains et les poètes se multiplient, les livres l'invitent à l'illustration, Vollard le pousse vers de nouveaux horizons — ou plutôt lui en propose de si éloignés de sa propre sensibilité qu'il est amené à imposer, donc à définir les siens : le cirque est parmi ses thèmes de prédilection celui qui lui permet de bâtir les plus hardies métaphores du lien entre ciel et terre. Son art ne s'éloigne pas, en effet, du contexte spirituel dont, depuis toujours, il propose des expressions si inattendues. Les milieux dans lesquels il évolue, surtout dans les années trente, accompagnent avec sollicitude ses réflexions sur les valeurs universelles que le judaïsme et le christianisme véhiculent : les Maritain autant que René Schwob jouent à son égard un rôle aussi important que Jean Paulhan, Marcel Arland, Max Jacob, Supervielle et Eluard.

Lorsque Chagall prend la nationalité française en 1937, il est à nouveau intégré dans les milieux artistiques et littéraires du pays et captivé par son héritage culturel, celui de l'Europe entière : Titien et Tintoret, Goya et Le Greco, comme Rembrandt depuis toujours, lui parlent en « amis ». Nulle prétention dans ce substantif : loin des avant-gardes, il a simplement pendant ces années parisiennes établi sa certitude.

doc. 56

Cat. nº 46   L'Enfant au jardin, 1921

Cat. n° 60   Esquisse pour Pourim, 1916-17

Cat. n° 59   Esquisse pour La Voiture d'enfant, 1916-17

Cat. nº 75   Esquisse pour l'Introduction au Théâtre d'Art juif, 1920

Cat. nº 76   Mise au carreau de l'Introduction au Théâtre d'Art juif, 1920

Cat. n° 72   Collage, 1921

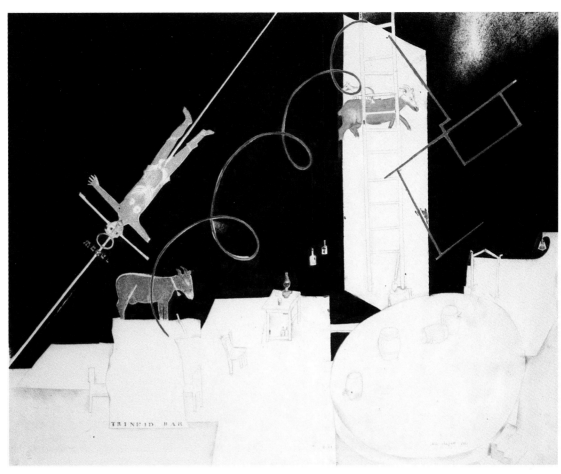

Cat. nº 90   Maquette de décor pour Le Baladin du Monde occidental, 1921

Cat. nº 79   Maquette du décor pour Les Agents, 1920

Cat. nº 80   Maquette du décor pour Le Mensonge, 1920

Cat. n° 83   Maquette de costume : L'Homme à la valise, 1920

Cat. n° 81   Maquette du décor pour Mazeltow, 1920

Cat. nº 84   Maquette de costume : Femme portant un enfant, 1920

Cat. n° 85   Maquette de costume : L'Homme au long nez, 1920

Cat. nº 89   Maquette de costume : Femme en mauve, 1920

Cat. n° 101 Le Violoniste, 1926-27 ?

Cat. nº 102   La Chambre, 1924-25

Cat. nᵒ 100   La Prisée, 1923-24

100
La Prisée, 1923-24

Aquarelle.
427 × 350
Signé en bas à droite.

Bibliographie :
W. Haftmann, 1975.

Milwaukee, collection M.B. Katz.

La quantité considérable de tableaux que Chagall avait perdus au moment où il s'installe à Paris porte le peintre à reconstituer un fond d'atelier à partir de souvenirs de ses toiles anciennes. *La Prisée* est de celles-ci : le tableau original (doc. 57) de 1912 était en Allemagne en 1964 (Krefeld, collection particulière), où il dut passer par les mains de Walden pendant les années de la Première Guerre mondiale et l'absence de Chagall. Il existe pour cette peinture une étude (doc. ci-dessous) aujourd'hui au Dial Museum of Art de Worcester, Massachussets.

Le peintre devait beaucoup tenir à ce sujet et à l'œuvre. Un passage de *Ma Vie* s'y rattache sans doute, où Chagall parle de son père :

« Une fois par an, le jour du Grand Pardon, il me semblait le Prophète Ilya. Sa figure est un peu plus jaune que d'habitude : rose-brique après les larmes. Il pleurait sans façon, silencieusement et là où il convenait. Aucun geste excessif. Parfois il poussait un cri : « Ah ! Ah ! », en se tournant vers ses voisins, pour leur demander de garder le silence pendant la prière, ou leur demander une prise du tabac ».

Chagall fit donc une seconde version du tableau de 1923 à 1926 (F. Meyer 1964, cat. ill. 358). Il se pourrait que cette aquarelle en soit l'étude et date de 1923. La couleur, le jaune et le vert mêlés, est aussi fondée sur le noir. Le texte, incohérent, ne remplit pas ici un rôle seulement plastique, mais constitue aussi un élément du sujet. C'est une des rares œuvres vraiment judaïsantes dans le travail de ces années parisiennes, presque un témoignage de fidélité adressé au ghetto abandonné pour la France.

doc. 57

101
Le Violoniste, 1926-27 ?

Crayon, encre noire et gouache sur papier beige ; mise au carreau au crayon.
276 × 365
Signé en bas à droite au crayon : *Chagall* ; à l'encre : *Marc Chagall*.

Saint-Paul-de-Vence, collection de l'artiste.

101 (en couleur p. 134)

Par son sujet, cette œuvre se rapproche d'un groupe d'œuvres à thèmes russes et de style dit « mouvementé », où l'on retrouve ici en particulier les figures courbées des années 1918-19 (n°ˢ 54 et 55). Une gouache datée 1926-27 (F. Meyer 1964, cat. ill. 463) présente des caractères communs troublants avec notre feuille. Néanmoins, des différences importantes concernent la touche, plus libre dans celle-ci que dans le document de référence ; une vieille femme y apparaît en haut à droite, alors que la chaise en bas à gauche y disparaît. La maison est cachée derrière le personnage alors que, dans le dessin présenté ici, c'est le personnage qui est caché par la maison.

Il est difficile néanmoins de voir dans cette œuvre une esquisse pour cette feuille de la collection L. Franck à Londres. Il n'est pas dans les habitudes de Chagall de préparer avec tant de soin une simple gouache. Il pourrait s'agir d'une variante, ou de la préparation d'un tableau, jamais réalisé. L'œuvre en tout cas est séduisante et poétique, parce que chargée sans insistance et avec une grande force plastique de l'héritage russe et de la liberté totale de composition coutumiers du peintre.

102
La Chambre, 1924-25

Crayon et aquarelle sur papier d'Arches.
332 × 436
Signé en bas à droite au crayon : *Marc Chagall.*

Paris, collection particulière.

Il est probable que ce très bel intérieur soit celui que les Chagall occupaient avenue d'Orléans. Plus tôt en effet le logis du peintre et de son épouse ne consistait qu'en une seule chambre dans un hôtel du Faubourg St-Jacques et l'on peut penser que les instruments du peintre seraient alors apparus dans la composition.

Une photo de l'atelier avenue d'Orléans (F. Meyer 1964, p. 34, n° 28) montre un intérieur revêtu de papier peint, sur lequel les Chagall ont placé leurs tableaux mais qu'ils ont en plus orné de châles et d'étoffes de Boukhara. Un autre papier peint est ici décrit d'un pinceau léger ; Bella trône sur le lit. L'atmosphère lumineuse rappelle les gouaches ou les huiles fauves de 1910, mais comme un ton au-dessous, plus proche de Vuillard que de Dufy ou Matisse.

103
Autoportrait, 1930 ?

Encre bleue au pinceau et à la plume, sur papier crème (une feuille détachée d'un carnet, le bord dentelé en bas).
258 × 156
Signé en bas à droite à l'encre : *Chagall ;* au dos du montage : *20/30.*

Saint-Paul-de-Vence, collection de l'artiste.

Trop peu de précisions livrées par l'artiste interdisent de dater cette œuvre avec certitude : la mention 1920-1930 au dos de la feuille est évidemment généreuse, et donne néanmoins une indication. Il est fréquent, en effet, de voir Chagall se rajeunir dans ses autoportraits ou, au contraire, se donner plus de maturité (n° 10). Celui-ci semble lui donner entre trente et quarante ans, soit 1927-1937. Il est en tout cas très différent de l'*Autoportrait à la grimace* (n° 44) que Chagall grave à l'eau-forte en 1924-25, beaucoup moins jeune et fantaisiste, ainsi que de l'*Autoportrait au sourire*, gravé à la même époque (voir doc. 32 sous n° 42). Si Chagall s'était trouvé proche de ces autoportraits (F. Meyer 1964, cat. ill. 476 et 477), il s'en serait probablement plus inspiré. Il s'agit ici de toutes façons d'un portrait sur le motif, au miroir ou d'après photographie, très expressif et vivant, à la différence du numéro suivant.

102

103

104

104

Autoportrait, 1930

Encre noire et aquarelle sur papier vergé crème.
201 × 175
Signé en bas à droite à l'encre : *Marc Chagall.*
Sur le montage au dos : *esquisse pour gravure livre Schwob,* 1930.

Saint-Paul-de-Vence, collection de l'artiste.

Ce portrait de haute fantaisie a été gravé par l'artiste et publié
en 1931 dans le livre de René Schwob : *Chagall et l'âme juive,* à
soixante-cinq exemplaires illustrés de deux gravures. On a dit
en introduction à ce chapitre le rôle que René Schwob a tenu
auprès de Chagall. Le portrait est accompagné d'un cheval
appartenant aux nombreux *Cirque* que Chagall avait peints
depuis son arrivée à Paris, et donne une allégresse supplémentaire à cette feuille innocente.

105

Une des esquisses pour La Révolution, 1936-37

Crayon, estompe et encre de Chine sur papier vergé blanc.
257 × 422
Signé en bas à droite à l'encre : *Chagall.*

Saint-Paul-de-Vence, collection de l'artiste.

On connaît plusieurs esquisses pour le grand tableau que
Chagall mena à un premier terme en 1937 (doc. 58) : pas
moins de cinq études au catalogue illustré de F. Meyer (n°s 628
à 632), sans compter cette feuille. Puis le tableau lui-même se
multiplia en se divisant. Chagall le découpa en trois, et en fit
Résistance (1948, *id.,* cat. ill. 829), *Résurrection* (1948, 830) et
Libération (1952, 831). Cette esquisse est donc très précieuse
pour comprendre la première intention du peintre.

La date n'est pas indifférente : la toile est faite au moment
où la Révolution d'Octobre fête ses vingt ans. Le bilan n'a,
certes, pas été positif pour Chagall, qui n'a pas trouvé auprès
du pouvoir révolutionnaire l'appui nécessaire à son entreprise
d'éducation destinée à tous, et à l'établissement de ses vues
sur l'art. On peut dire que cet échec a tourné Chagall vers des
domaines de l'activité spirituelle et poétique évidemment très
élevés, et l'a détourné de l'action sur les hommes et leurs
comportements.

La Révolution devient donc l'apanage des « poètes rêveurs », comme disait déjà le peintre en voyant le premier
d'entre eux dans le copiste de la Thora d'une des grandes
peintures murales du Théâtre d'Art juif (doc. 54). Le voici,
donc, le porteur de la Thora, associé à Lénine, personnage
central de la composition à la fois acrobate et porte-drapeau,
mais poète aussi puisqu'il apparaît renversé, appartenant à un
autre ordre du monde : il est *Le Saint Voiturier* de 1911-12, *Le
Poète* de 1912, il marche sur les mains et annonce des temps
radicalement inverses.

L'identification de Lénine avec l'artiste connaît un pendant : l'artiste lui-même, en rotation autour du samovar de la
tradition, mais le regard tourné vers le ciel, associé à la femme
aimée, et entouré d'un second cercle de musiciens, de parents
— la mère n'accouche-t-elle pas sur le toit de la maison ? —
toutes figures sorties de sa mémoire.

105

doc. 58

Toutes les esquisses futures vont faire entrer la foule comme partenaire de ces deux poètes dans la composition, comme acteur principal de cette grande image. Notre esquisse reste encore une représentation fabuleuse du dialogue de l'artiste et du prince, même si le prince est Lénine. On sent ici un Chagall qui appelle l'utopie de tous ses vœux, et confie au papier l'espoir d'une coïncidence entre les ambitions nouvelles du corps social — auquel Lénine montre le chemin — et celles de l'artiste.

106
Esquisse pour La Crucifixion blanche, 1937

Crayon et encre de Chine sur papier Canson ; taches de gouache et d'encre, traces d'une mise au carreau au crayon.
460 × 407
Signé en bas à droite à l'encre : *Chagall* ; au milieu : *Esquisse 1937*.

Saint-Paul-de-Vence, collection de l'artiste.

Autant *La Révolution* (n° 105) est en 1937 une composition nostalgique, autant il s'agit ici d'un premier travail sur le papier pour préparer une composition monumentale et d'actualité. Des indications de mesure et la mise au carreau rattachent cette feuille directement au tableau.

Peinte en 1938, la toile (doc. 59) trouve ici sa première formulation : les groupes, repris tels quels de cette feuille, peuvent venir de quelque composition précédente, les figures surtout : on retrouve l'homme au sac sur le dos, l'homme porteur de la Thora ; mais jamais Chagall n'avait peint un Christ à la fois aussi religieux et aussi monumental.

Le contexte historique commande cette œuvre, qui constitue la participation de Chagall en tant qu'artiste au mouvement de protestation que suscite l'écho des persécutions antisémites menées de l'autre côté du Rhin. Chagall a très explicitement dessiné sur le drapeau en haut à droite la croix gammée — qui désigne clairement le destinataire de cette composition dans l'Histoire. Le peintre, ici conscient de son impuissance face à l'ampleur des événements, en appelle très explicitement au jugement universel, aux valeurs morales de sa société, au passé exemplaire autant qu'à l'avenir, qui ne peut que condamner. D'où le recours à cette Crucifixion, que Chagall n'avait pour ainsi dire pas utilisée dans son travail depuis 1912 et *Golgotha* (doc. 20). Le Christ fait donc dans l'œuvre du peintre, avec cette esquisse et le tableau, une entrée d'une très haute portée symbolique.

Néanmoins, les valeurs universelles auxquelles Chagall veut se référer lui font modifier, pour réunir plusieurs sens dans cette seule figure, les caractères convenus de l'iconographie chrétienne. La croix a perdu sa partie supérieure, conformément aux commentaires que Chagall faisait déjà sur la préparation de *Golgotha* (voir n° 35). Le Christ porte le « shallit », le châle de prière juif, et sont inscrits au-dessus de sa tête les mots « Jésus de Nazareth, roi des Juifs », non seulement dans sa formulation latine INRI (tableau), mais encore dans sa traduction en yiddish (tableau et esquisse). Le Christ devient donc le symbole juif du martyre juif, au pied duquel se consume la *menorah*, le chandelier de la Création. Deux détails méritent d'être relevés : le premier est celui de la barque, où se sont entassés les habitants en fuite du village bouleversé. Comme en 1912, une eau traverse la composition derrière la Crucifixion. Mais le rameur solitaire, en chemin pour une île mystérieuse et attirante comme un rêve, est ici remplacé par la foule de l'Exode et une vision de cauchemar : le symbole s'est renversé, mais révèle chez Chagall une éton-

106

doc. 60

doc. 59

nante fidélité à des archétypes poétiques susceptibles des plus nombreuses applications.

Le second trait qu'il faut souligner s'attache ici à la lumière : si l'esquisse ne donne aucune indication d'ombres, de passages ou de modelé, on sait néanmoins dès celle-ci que Chagall a pensé écarteler son Christ dans un puissant rayon tombant du haut de la feuille. La référence aux *Trois Croix* de Rembrandt, notamment à leur dernier état, le plus contrasté (doc. 60), est d'autant plus évidente que Chagall avait à cette époque déjà utilisé l'exemple du grand Hollandais dans l'une au moins des gravures de la Bible. On sait, par ailleurs, la passion que l'artiste éprouve pour Rembrandt, et qu'il achevait ses mémoires sur l'épisode de son départ de Russie par ces mots : « Ni la Russie impériale, ni la Russie des Soviets n'ont besoin de moi. Je leur suis incompréhensible, étranger. Je suis certain que Rembrandt m'aime. » *(Ma Vie).* La coïncidence n'est d'ailleurs pas du seul domaine de l'art, mais aussi spirituelle : non seulement Rembrandt vit dans une Amsterdam où chrétiens et juifs vivent ensemble dans une paix relative, mais il prend ses modèles dans le ghetto pour en faire des figures de l'Ancien et du Nouveau Testament, universelles dans leur profonde humanité. Avec *La Crucifixion blanche,* Chagall inaugure une peinture non confessionnelle, mais néanmoins spirituelle dans un 20e siècle qui avait, très tôt, évacué la peinture religieuse.

107

doc. 61

108
Le Bain, 1935 ?

Encre et gouache sur papier blanc.
225 × 145
Non signé.

Bibliographie :
Bella Chagall 1973, repr. p. 27.

Paris, collection particulière.

Voir n° 109.

108

107
La Déposition de croix, 1939

Encre noire, lavis gris et sanguine sur papier crème (une feuille détachée d'un cahier relié à ressort, le bord déchiré en bas).
211 × 265
Signé en bas à droite à l'encre : *Chagall*.
Au dos, en russe : *Dessin noir et blanc.*

Bibliographie :
J. Lassaigne 1968, repr. p. 69.

Saint-Paul-de-Vence, collection de l'artiste.

Chagall a fréquenté le Musée du Louvre dès son arrivée à Paris en 1910 : « C'est au Louvre que je me sentais le plus à l'aise. Amis disparus depuis longtemps. Leurs prières, les miennes. Leurs toiles éclairent mon visage enfantin. Rembrand me captivait, Chardin, Fouquet, Géricault m'arrêtèrent plus d'une fois ! » *(Ma Vie)*. Ailleurs (P. Schneider, *Les Dialogues du Louvre)*, le peintre livre son amour pour la peinture vénitienne : Giorgione — dont la *Vénus* de Dresde (doc. 13) est citée dans le *Message Biblique*, Titien, dont *La Descente de croix* (doc. 61) est ici copiée par Chagall, probablement sur les lieux, et surtout Tintoret, dont nous avons montré une figure de *Dieu créant les animaux* au dos d'un des dessins présentés (doc. 46 sous n° 68) dès 1921. Le nom de « Tintoretto » figure, d'ailleurs, dans *Le Juif en rouge* de 1914, inscrit sur la toile (F. Meyer 1964, repr. in-texte, p. 232).

Il n'est pas indifférent de retrouver dans les carnets du peintre un des grands épisodes de l'histoire du Christ, où il est représenté victime de ses bourreaux, au moment même où Chagall utilise cette haute figure pour donner l'expression la plus tragique au martyre juif, entre *La Crucifixion blanche* et *Le Martyr* de 1940.

109
La Rue, 1935 ?

Encre sur papier.
445 × 295

Bibliographie :
Bella Chagall 1973, repr. p. 303.

Paris, collection particulière.

Bella Chagall entame la rédaction de ses souvenirs d'enfance sous l'impression très pénible de son voyage, en compagnie du peintre, à Vilna où on les avait priés d'inaugurer en 1935 un Centre de la Culture juive. Ils avaient pu y ressentir tout ce que cela signifiait en face de la formidable poussée ambiante d'antisémitisme, et mesurer les dangers qui pesaient sur la conservation même de la civilisation dont ils étaient issus.

De ces écrits est né *Lumières allumées*, d'abord publié dans le texte yiddish original à New York en 1945, avec vingt-cinq dessins et une couverture de Chagall.

L'ouvrage a connu de nombreuses éditions successives : une édition anglaise paraît dès 1946 à Londres, augmentée de onze dessins. Ida Chagall traduit le texte du yiddish en français et Chagall donne pour l'édition de ce livre à Genève en 1948 quarante-cinq dessins.

Le Bain et *La Rue* sont de ceux-là. Ils sont très proches de facture des dessins pour Lessin (nᵒˢ 110 à 128) et assez péné-

trés de la verve qui avait nourri *Les Ames mortes* en 1923. *Le Bain* n'est pas un sujet nouveau pour Chagall, qui observait déjà avec la malice du caricaturiste *Le Bain rituel* juif dans les années 1909-10 (doc. 2). La tendresse, enfin, n'est pas exempte de ces feuilles volontairement enfantines, où Chagall se fait à nouveau portraitiste des siens.

110-128
Dix-neuf dessins pour Chansons et Poèmes de Lessin-Abraham Walt, 1931

Saint-Paul-de-Vence, collection de l'artiste.

110
Le Cimetière

Crayon, encre noire et rehauts de gouache blanche sur papier vergé crème, traces d'une mise au carreau au crayon.
230 × 158
Signé en bas à droite au crayon : *Marc Chagall.*

109

110

112

113

111

111
L'Epicier

Crayon et encre noire sur papier vergé crème.
229 × 158
Signé en bas à droite au crayon : *Marc Chagall.*

112
Dans la synagogue

Encre noire sur papier vergé crème, traces d'une mise au carreau au crayon.
229 × 160
Signé en bas à droite au crayon : *Marc Chagall.*

113
A la synagogue

Encre noire sur papier vergé crème, traces d'une mise au carreau au crayon.
230 × 160
Signé en bas à droite au crayon : *Marc Chagall.*

114

115

116

114
Le Pogrome

Crayon, encre noire et rehauts de gouache blanche sur papier vergé crème.
229 × 160
Signé en bas à droite au crayon : *Marc Chagall.*

115
Le Pogrome

Crayon et encre noire sur papier vergé crème, traces d'une mise au carreau au crayon.
229 × 158
Signé en bas à droite à l'encre : *Chagall.*

116
Le Village et la ville

Crayon et encre noire sur papier vergé crème, traces d'une mise au carreau au crayon.
230 × 158
Signé en bas à droite au crayon : *Marc Chagall.*

117

119

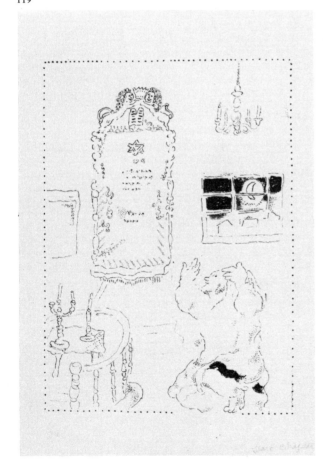

118

117
La Révolution

Crayon et encre noire sur papier vergé crème.
227 × 157
Signé en bas à droite au crayon : *Marc Chagall.*

118
Le Prisonnier

Crayon, encre noire et rehauts de gouache blanche sur papier vergé crème.
229 × 159
Signé en bas à droite au crayon : *Marc Chagall.*

119
Dans la synagogue

Encre noire et rehauts de gouache blanche, traces de mise au carreau au crayon.
229 × 158
Signé en bas à droite au crayon : *Marc Chagall.*

120

121

122

120
Job

Encre noire sur papier vergé crème, traces d'une mise au carreau au crayon.
230 × 158
Sur une ancienne signature au crayon : *Marc Chagall,* signé en bas à droite à l'encre : *1931 Chagall.*

121
L'Echelle de Jacob

Encre noire et rehauts de gouache blanche sur papier vergé crème.
230 × 159
Sur une ancienne signature au crayon : *Marc Chagall,* signé en bas à droite à l'encre : *1931 Chagall.*

122
Le Diable et le Prophète

Encre noire sur papier vergé crème.
230 × 158
Sur une ancienne signature au crayon : *Marc Chagall,* signé en bas à droite à l'encre : *Chagall 1931.*

123
Danse d'ivrognes

Encre noire sur papier vergé crème, traces de mise au carreau au crayon.
229 × 158
Sur une première signature au crayon : *Marc Chagall,* signé en bas à droite à
l'encre : *1931 Chagall.*

124
Le Rêve du poète

Encre noire sur papier vergé crème, traces de mise au carreau au crayon.
229 × 157
Signé en bas à droite à l'encre : *1931 Chagall.*

123

124

125

126

127

128

125
L'Enterrement

Encre noire sur papier vergé crème, traces d'une mise au carreau au crayon.
159 × 230
Signé en bas à droite au crayon : *Marc Chagall.*

126
Moïse

Traces de crayon et encre noire sur papier vergé crème, traces d'une mise au carreau au crayon.
230 × 158
Signé en bas à droite à l'encre : *1931* et au crayon : *Marc Chagall.*

127
Don Quichotte

Encre noire sur papier vergé crème, traces d'une mise au carreau au crayon.
229 × 158
Signé en bas à droite au crayon : *Marc Chagall.*

128
Le Postillon

Encre noire sur papier vergé crème, traces de mise au carreau au crayon.
230 × 158
Signé en bas à droite au crayon : *Marc Chagall.*

Il y eut deux éditions du recueil de chansons et poèmes du poète juif Lessin-Abraham Walt (1888-1938), toutes les deux

parues à New York en 1938 : la première en yiddish comptait quelques dessins et comprenait trois volumes ; la seconde, en hébreu, comptait trente-deux dessins et deux volumes seulement.

Plusieurs feuilles ont été datées de 1931, et appartiennent à une technique de dessin très proche de la gravure — dont on peut se demander si elles ne sont pas la préparation, que la mise au carreau annoncerait également. Elles seraient alors contemporaines des toutes premières eaux-fortes de la Bible Vollard.

Les thèmes de ces dessins sont très divers et se rattachent le plus souvent à des œuvres précédentes, appartenant essentiellement à la seconde période parisienne. Le groupe le plus important est celui des thèmes bibliques ou juifs : *Le Cimetière* est une *Résurrection de Lazare* de 1911, elle-même inspirée d'une enluminure byzantine du 11e siècle (F. Meyer 1964, p. 707, no 3) ; *Moïse, Job, Jacob* sont les héros de cette série contemporaine des travaux de Chagall, à peine rentré de Palestine. Mais plusieurs intérieurs de synagogue nous font glisser du spirituel au religieux. Se sentant plus libre devant le papier, Chagall peuple ces intérieurs sacrés de figures souvent pittoresques, alors que dans tous ses intérieurs peints elles en étaient soigneusement absentes. Enfin, les thèmes inspirés par la vie de la communauté juive se crispent sur deux feuilles, très proches, évoquant le pogrome, l'une diurne, l'autre nocturne. *Le Village et la ville* rappelle Gogol et les illustrations que Chagall avait données à Vollard en 1923 et 1924 pour *Les Ames mortes*, inattendues dans cet ensemble plutôt grave, comme d'ailleurs *Le Postillon*. Le *Don Quichotte* est un document très précieux, en ce qu'il révèle, outre la diversité des sources d'inspiration du peintre, sa préoccupation constante pour les grandes figures de « poètes rêveurs ». *La Révolution* est enfin intéressante en ce qu'elle constitue, avec sa foule hérissée de drapeaux, la partie manquante, en quelque sorte, de notre esquisse (no 117).

Chagall arriva aux Etats-Unis comme par miracle, mais un miracle qui portait aussi un nom américain : l'Emergency Rescue Comittee intervint expressément auprès des auteurs de la rafle de Marseille qui avait fait passer les Chagall de l'Hôtel Moderne à la prison ; il travaillait pour le bien de la liberté mais aussi en l'occurrence pour le Museum of Modern Art de New York qui avait invité de nombreux artistes à se réfugier dans le seul pays occidental qui restât libre et sauf. Chagall avait tout d'abord décliné l'invitation. Les nouvelles lois antisémites du gouvernement français lui firent comprendre où était désormais le salut.

Le second miracle permit à Chagall d'emporter tout son atelier. Mille six cents kilos de toiles et de dessins franchirent ainsi le Midi français, puis l'Espagne et enfin le Portugal pour gagner par bateau, avec le peintre et Bella, le port de New York où ils accostèrent le 23 juin 1941.

Vivre

Le plus frappant des traits du séjour de Chagall aux Etats-Unis est la rapidité avec laquelle celui-ci s'intègre au milieu qui l'accueille. Dans l'énorme mouvement d'immigration qui s'abat sur l'Amérique en ces premières années de guerre, on pourrait imaginer le peintre perdu, écrasé, d'autant plus qu'il ne connaissait pas l'anglais. Or, il surmonte l'épreuve en quelques mois, reprend le travail interrompu, reconstitue un cercle d'amis — dont les Maritain et Lionello Venturi — et trouve un marchand en la personne de Pierre Matisse, bientôt des collectionneurs parmi lesquels Louis Stern et les Bliss. Les uns et les autres contribueront à faire entrer dans les musées quelques-uns des tableaux anciens et majeurs de Chagall, notamment la série des maquettes d'*Aleko* que nous pouvons présenter ici ; ces premières acquisitions en entraîneront d'autres : *le Violoniste vert*, *L'Anniversaire* de 1915 entrèrent ainsi dans des collections privées puis publiques. Le couronnement de cette rapide infiltration de l'art de Chagall dans le public américain, l'exposition monographique organisée par le Museum of Modern Art de New York, venait à point nommé au début de l'été 1946, et comprenait les œuvres des quarante années écoulées. Après Bâle en 1933 et avant l'exposition du Musée d'Art moderne à Paris en 1947, celle-ci était

doc. 62

de loin la manifestation la plus favorable, utile à son travail de peintre et au renom de son œuvre.

Vivre, pour Chagall, c'est aussi peindre et dessiner. Les habitudes prises par l'artiste connurent des prolongements féconds aux Etats-Unis : chaque année plusieurs mois passés à la campagne permirent au couple de travailler — Chagall à son chevalet, Bella à ses Mémoires — dans le Connecticut, au Mexique et dans les Adirondacks, où Bella devait mourir le 2 septembre 1944.

Vivre, enfin, c'était aussi, comme à Paris, conserver le contact, non seulement avec les milieux intellectuels et poétiques, mais aussi avec la Russie des origines : une mission culturelle pour le compte du gouvernement soviétique devait donner à Chagall la joie de revoir son ami Michoëls, accompagné du poète Itzik Feffer. Celui-ci lui fournit l'occasion de dessiner à nouveau pour le livre (doc. 62). En marge de ces travaux, Chagall grave par ailleurs quelques planches qu'il donne à tirer à Stanley W. Hayter. Néanmoins, les deux rencontres les plus fécondes se produisent avec ses deux compatriotes Leonid Massine et Igor Stravinsky.

Retour à la scène

Chagall n'avait pas vraiment quitté ce domaine de l'imagination plastique : en 1932, il avait réalisé des maquettes pour un ballet écrit par la sœur de Nijinsky, Bronislava Nijinskaïa ; malheureusement, le spectacle n'avait jamais vu le jour.

Il en alla tout autrement avec Leonid Massine. L'ancien maître de ballet de Diaghilev et des Ballets Russes connaissait Chagall de longue date. Lucia Chase, qui dirigeait l'American Ballet Theater, souhaitait une distribution russe pour Aleko, dont l'argument était tiré de Pouchkine et la musique d'un trio de Tchaïkovsky. Les quatre Russes formaient une affiche grandiose et l'on convint de monter et de roder le spectacle à Mexico avant d'affronter le public new-yorkais.

La conséquence immédiate pour Chagall fut, en le plongeant subitement dans l'espace de la danse et dans la lumière du Mexique, de provoquer dans son art une explosion lyrique sans précédent depuis le bouleversement révolutionnaire de 1917. La seconde conséquence, plus lointaine mais capitale, fut de lui valoir dès 1942 un triomphe auprès du public américain et une notoriété utile à la diffusion de son art et de ses idées.

Quant au dessin, par lequel tout projet scénographique commence, il est évident qu'il se ressent dans l'œuvre de ce nouvel apport. Nous disons bien apport et non destination : Chagall, en effet, rêve sur le papier ses décors et ses costumes et ne leur donnera vie que lorsque, changeant de technique et de médium, il fera entrer l'idée dans une forme. L'effort incroyable que représente le brossage de quatre grandes toiles à l'échelle de la scène participe de la peinture monumentale. Le dessin joue dès lors comme un aide-mémoire dans la création d'une atmosphère générale, réinventée sur la toile au fur et à mesure du travail.

Chagall trouvait avec Aleko sa première occasion de peindre à l'échelle monumentale. Ses rideaux sont semblables à d'immenses peintures, et débouchèrent plus tard sur des réductions au chevalet, encore très largement fondées sur leur rythme et leur structure. L'Introduction au Théâtre d'Art juif ne trompait déjà plus en 1921 : il s'agissait bien de se mesurer avec l'espace, la profondeur, le recul, et de créer un mouvement qui entraînât sans submerger.

Nul doute que Chagall se souvint de Bakst et de Diaghilev en travaillant à ces décors. Comme eux, il maniait la couleur et la lumière en Oriental, suscitant néanmoins la somptuosité non avec les références culturelles dont les Ballets Russes avaient été friands — Le Pavillon d'Armide, Schéhérazade et jusqu'au Martyre de saint Sébastien transformé par Bakst en une féerie byzantine —, mais bien avec des harmonies de tons et des vibrations qui sont à elles seules des fêtes pour l'œil et l'esprit.

Cette réussite « russe », qui allait bien au-delà d'un fol-

doc. 63

klore, Chagall put la réitérer en 1945 avec le même American Ballet Theater et Igor Stravinsky, dont Chagall dessine alors le portrait, pour L'Oiseau de feu (doc. 63). Le ballet de 1910 faisait avec Petrouchka partie des œuvres russes du compositeur ; en rompant résolument avec le pittoresque régionaliste, Chagall rendait perceptible la seule prodigieuse invention musicale de l'auteur. En même temps, il protégeait sa propre invention et introduisait tout naturellement la féerie et la nature dans le moule de la partition. La coïncidence saute encore aux yeux aujourd'hui devant ces esquisses flamboyantes.

Si l'on traque le dessin pendant cette période du travail de Chagall, on ne peut donc exclure ces deux monuments que sont Aleko et L'Oiseau de feu ; les portefeuilles qu'ils constituent sont des sources futures pour inspirer le peintre, qui se nourrit plus volontiers, on l'a vu, de son propre travail antérieur que de nouveaux apports. Mais on peut aussi rappeler qu'outre les livres pour Feffer et leurs vingt dessins Chagall donna encore, dans l'espace de ces quelques années, les dessins pour Le dur désir de durer d'Eluard en mai 46 et les vingt-six lithographies des Mille et une nuits d'après les gouaches faites à Highfalls en automne 1946. Ces dernières, dont on doit bien reconnaître qu'elles sont aussi à l'origine du dessin, préludent à la quantité considérable de lithographies que Chagall réalisera dans les années soixante. Elles sont aussi les premières d'une suite enfin publiée comme il convenait, puisque Les Ames mortes, Les Fables de La Fontaine, Le Cirque et Bible attendaient toujours leur sortie, en sommeillant dans les cartons d'Ambroise Vollard.

129
Esquisse pour La Crucifixion en jaune, 1942-43

Crayon et encre noire sur papier crème.
505 × 378
Signé en bas à droite à l'encre : *Chagall*.

Bibliographie :
J. Lassaigne 1968, repr. p. 73.

Saint-Paul-de-Vence, collection de l'artiste.

A la suite d'une des esquisses pour *La Crucifixion blanche* (n° 106), nous pouvons présenter cette feuille qui prépare parmi d'autres une nouvelle composition, peinte aux Etats-Unis cette fois : *La Crucifixion en jaune*, qui tire son titre de la couleur du fond (doc. 64).

Nous avons déjà dégagé les raisons pour lesquelles Chagall éprouve une prédilection pour ce thème, alors que des nouvelles de plus en plus alarmantes lui parviennent de l'Europe en guerre, du monde juif martyrisé, enfin de son pays entré dans la bataille le jour même où il met le pied sur la terre américaine. L'esquisse, dont une première ébauche au crayon est assez sûre pour que Chagall la reprenne entièrement à l'encre, accorde une part égale au Christ et à la Thora. Comme dans *La Crucifixion blanche*, le Christ porte le shallit juif, et la Thora est couverte non des caractères hébreux que l'on trouvera par la suite dans le tableau, mais d'une scène sanglante de sacrifice.

L'œuvre entière est un rassemblement de figures déjà rencontrées dans l'art du peintre : le taureau de *Dédié à ma fiancée* de 1911 fait sa réapparition, accroché au bras de la Croix ; le village en flammes assorti d'un violoniste dont l'instrument brûle également ; la femme à l'enfant, l'homme au sac sur le dos. Les quatre plaques en bas à droite viennent du *Cimetière juif* et de la *Résurrection de Lazare* (n° 110). Nouveau, en revanche, est le paquebot en perdition, irruption aussi contemporaine et surprenante dans cette feuille que la croix gammée dans *La Crucifixion blanche*. La Sirène en pleurs, les mains parsemées et implorantes seraient des détails savoureux si leur sens tragique ne laissait pas au second plan

129

leur qualité inventive. Il faut insister sur l'horloge que Chagall a plaquée sur le Christ, parce qu'elle correspond à un thème que Chagall a instauré au cours de sa seconde période parisienne (*Le Temps n'a point de rives*, premier état : 1930, second état : 1939, F. Meyer 1964, repr. in-texte p. 425), symbolique du Temps dont le déroulement constitue un autre de ces mystères de l'univers auquel le peintre cherche à donner des équivalents poétiques. Ce rythme auquel aucun homme, aucune partie du monde n'échappe est la mesure donnée par le Créateur à sa création. Aussi, dans l'*Adam et Eve* de 1912 (n°s 30 à 32), l'homme et la femme étaient-ils les aiguilles d'une horloge. L'humanité du Christ, sur laquelle Chagall met dans ces esquisses un très fort accent, s'accompagne donc de cette métaphore de la création et de son ordre, bouleversés et offensés par le désastre qu'évoquent toutes les autres figures de l'esquisse. Ajoutons qu'une huile contemporaine de notre esquisse (F. Meyer 1964, cat. ill. n° 702), *Hiver*, montre la même horloge à la place de la tête du Christ.

doc. 64

130
Maternité - La Guerre, 1942-43

Encre noire, lavis de gris, rehauts de gouache blanche sur papier vergé crème.
374 × 280
Non signé.
Au dos : portrait de femme.
Mention : *Reduce to 10'' high*
A 133 screen halftone.

Saint-Paul-de-Vence, collection de l'artiste.

130

revers du n° 130

Le portrait à peine esquissé au dos (doc. ci-contre) pourrait être celui de Bella, dont les cheveux courts sont caractéristiques.

131
La Guerre, 1943

Encre noire et rehauts de gouache blanche sur papier vergé crème ; monté sur carton avec deux filets noirs.
192 × 383
Signé en bas à droite à l'encre : *Marc Chagall 1943*.

Saint-Paul-de-Vence, collection de l'artiste.

Le caractère achevé de ce dessin, son montage et les charnières qui subsistent sur le montage laissent supposer que ce dessin a été fait pour illustrer quelque texte et qu'il a dû figurer dans un album avec d'autres.

Il est exactement contemporain de l'huile sur toile de 1943, *Guerre* (cité au n° 130), dont il partage certains élé-

Cette belle encre est liée à l'ensemble des *Crucifixions* et des *Guerres* de 1942 et de 1943 : le décor de maisons russes en flammes aux toits blanchis renvoie à *L'Incendie dans la neige* et à *Guerre* (F. Meyer 1964, cat. ill. 690 et 693). Néanmoins, la mère et l'enfant occupent toute la feuille, dans une technique où la plume joue le rôle qu'elle avait déjà tenu dans les compositions des années 1918-21 : ménager des passages entre le peint et le dessiné, par le jeu d'un réseau de hachures, de croisillons et de « picotis », comme les appelle Chagall lui-même.

131

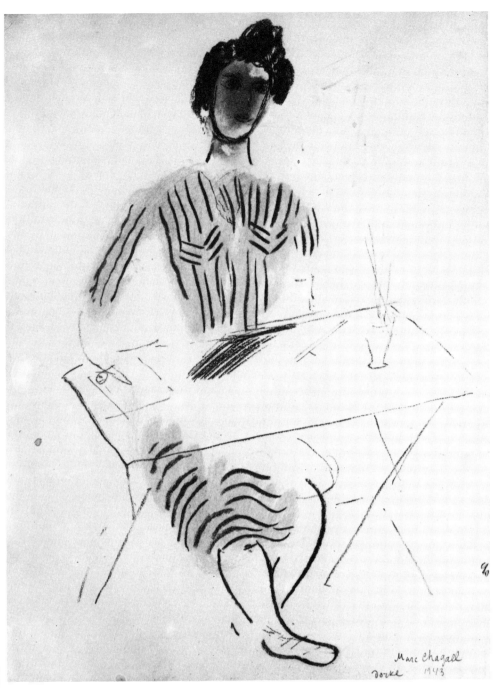

132
(en couleur p. 186)

ments : la mère et l'enfant, le village. Néanmoins, aucun des tableaux n'est aussi précis sur les sujets de l'exode et des destructions. Chagall a cultivé ici le tragique et le pathétique tout ensemble. La différence des échelles, le ciel où des créatures emblématiques apparaissent, créent un espace tout à fait héroïque. La manière du peintre est extrêmement voisine d'un dessin pour l'ouvrage du poète Itzik Feffer (rencontré en Russie) qu'il réalise au cours de l'été ou de l'automne 1943, au moment ou Feffer se trouve en Amérique, en mission du gouvernement soviétique avec Michoëls (doc. 62). Notre feuille pourrait être une des feuilles des deux livres publiés à New York en 1943 en yiddish : *Heimland* et *Roitarmesh*, pour chacun desquels Chagall donne une couverture et neuf dessins.

132
Femme assise devant une table, 1943

Crayons de couleur et pastel sur papier beige épais.
510 × 378
Signé en bas à droite au crayon : *Marc Chagall 1943* et en russe : *A ma fille.*

Paris, collection particulière.

Ce beau portrait, presque matisséen, est celui d'Ida Chagall, présente en Amérique aux côtés de ses parents pendant la guerre. Elle-même passionnée de dessin et de peinture, on la voit ici à une table de travail munie de papier et de crayons. C'est ainsi qu'après la mort de Bella, Ida aidera son père à réaliser les costumes de *L'Oiseau de feu*, comme Bella l'avait fait pour *Aleko*.

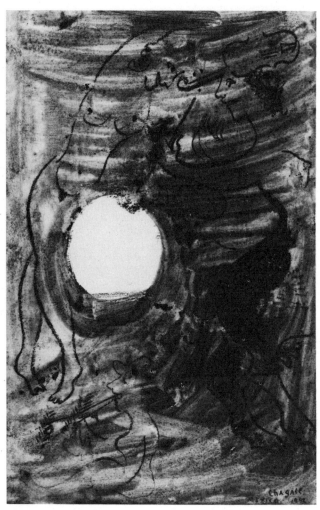

133

133
Couple dansant, 1942

Aquarelle, lavis de gris et pastel sur papier vergé.
435 × 280
Signé en bas à droite à l'aquarelle : *Chagall Mexico 1942.*

Paris, collection particulière.

Tout en préparant les décors et les costumes d'*Aleko* (voir nᵒˢ 134 et suivants), Chagall, qui résidait à Mexico, put observer les Mexicains, contempler des marchés et des paysages *(Jour de marché,* 1942, *in* F. Meyer 1964, cat. ill. 716). Si les personnages ne semblent pas ici typiquement mexicains — folklore auquel Chagall s'est délibérément soustrait — il reste de la vitalité de ce pays l'élan qu'il communique aux danseurs et au lavis lui-même, qui semble saisi d'un tourbillon autour d'un implacable soleil.

134
Maquette de décor pour la scène I d'Aleko, 1942

Crayon, lavis, aquarelle et gouache sur papier.
382 × 570
Signé en bas à gauche à l'encre : *Aleko Marc Chagall.*

Provenance :
Collection Lillie P. Bliss ; légué au musée en 1945.

Bibliographie :
F. Meyer 1964, cat. ill. 719 ; J. Lassaigne 1969, repr. p. 20-21 ; A. Werner 1977, repr. planche 23.

Expositions :
1967 Toulouse, nᵒ 60 ; 1969-70, Paris, nᵒ 230.

New York, The Museum of Modern Art.

Voir nᵒ 135.

135
Maquette de décor pour la scène IV d'Aleko, 1942

Crayon, lavis, aquarelle et gouache sur papier.
382 × 570
Non signé.

Provenance :
Collection Lillie P. Bliss ; légué au musée en 1945.

Bibliographie :
F. Meyer 1964, cat. ill. 722 ; J. Lassaigne 1969, repr. p. 52-53 ; A. Werner 1977, repr. planche 26.

Expositions :
1967, Toulouse, nᵒ 63 ; 1969-70, Paris, nᵒ 233.

New York, The Museum of Modern Art.

Les quatre toiles de fond dessinées par Chagall pour *Aleko* sont chacune fondées sur une couleur majeure, et à elles seules racontent déjà une part de l'histoire qui se déroulera devant elles : les personnages principaux se retrouvent dans le décor, c'est-à-dire dans le ciel, mêlés au tourbillon que la peinture tente de créer et réduits à des visages, une longue chevelure pour Zemphira-la-Bohémienne, un bras pour l'amoureux Aleko.

Le paysage de Saint-Pétersbourg est à la fois réaliste et transformé. Il donne son élan à l'attelage fantastique, et fait s'achever le ballet dans un rouge somptueux, celui du sang qu'a versé Aleko, jaloux, et celui des salons aristocratiques de la ville d'où il vient et où il retourne, chassé par les bohémiens.

Ces esquisses ne sont pas restées très longtemps dans les cartons de Chagall, contrairement à celles du Théâtre juif : néanmoins, plusieurs publications et des photographies, son propre souvenir aidant, lui ont permis de puiser à cette source une nouvelle inspiration pour des toiles futures : c'est ainsi que le décor de la scène IV donne sa composition au *Cantique des Cantiques IV* pour le *Message Biblique :* David et Bethsabée volent au-dessus de Jérusalem, emportés par un cheval (voir notre nᵒ 185). Ce phénomène de transposition d'une composition pour la scène dans le domaine biblique se reproduira à partir des décors pour *L'Oiseau de feu, La Forêt enchantée* du premier acte devenant *Le Paradis* pour l'épisode de la Chute dans le *Message Biblique.*

134

135

136

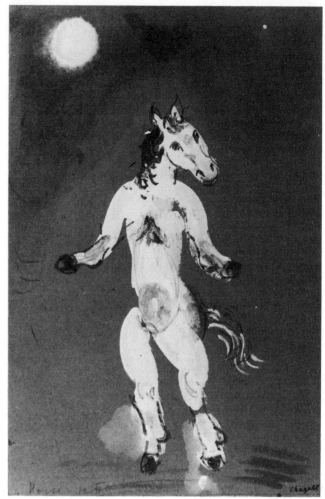

137

136

Maquette de costume pour un coq dans Aleko, 1942

Crayon, encre, aquarelle et gouache sur papier.
407 × 265
Signé en bas à droite à l'encre : *Chagall*.

Provenance :
Collection Lillie P. Bliss ; légué au musée en 1945.

Bibliographie :
J. Lassaigne 1969, repr. p. 36.

Expositions :
1967, Toulouse, n° 88 ; 1969-70, Paris, n° 258.

New York, The Museum of Modern Art.

Voir n° 138.

137

Maquette de costume pour un cheval dans Aleko, 1942

Crayon, lavis, aquarelle et gouache sur papier.
340 × 215
Signé en bas à droite à l'encre : *Chagall*.

Provenance :
Collection Lillie P. Bliss ; légué au musée en 1945.

Bibliographie :
J. Lassaigne 1969, repr. p. 50.

Expositions :
1967, Toulouse, n° 70 ; 1969-70, Paris, n° 240.

New York, The Museum of Modern Art.

Voir n° 138.

138

Maquette de costume pour Le Mendiant dans Aleko, 1942

Provenance :
Collection Lillie P. Bliss ; légué au musée en 1945.

New York, The Museum of Modern Art.

Après qu'Aleko eut découvert que la bohémienne qu'il aime, Zemphira, s'est éprise d'un autre, il sombre dans un délire qui saisit ensemble son esprit et le monde qui l'entoure : c'est ainsi qu'à ce moment du ballet, les figures les plus fantastiques font irruption sur la scène et que s'animent les éléments statiques du décor, arbres, meubles et jusqu'à un chandelier.

Chagall ne pouvait pas trouver de prétexte plus commode pour laisser libre cours à son invention. Nous montrons donc

138

ici deux aspects de son travail, dans les domaines opposés du fantastique — le coq et le cheval — et du naturalisme — le vieillard voûté, très proche de la caricature et des illustrations pour Gogol, par exemple.

Ces dessins, relativement rapides, sont destinés à donner une indication aux tailleurs. Ils sont plus proches d'une première inspiration que du costume définitif. Chagall s'est réservé, en effet, de peindre lui-même les étoffes une fois montées, faisant du danseur une créature tombée de la toile de fond, identique en vibration colorée et en matière au décor qui la soutient. Bella aida le peintre dans ce travail colossal, en ouvrant un atelier dans le théâtre même, à Mexico. La lumière aidant, les danseurs pouvaient ainsi évoluer librement sur la scène laissée libre, mais apparaître bel et bien les messagers auprès des spectateurs du monde pictural qui se trouvait derrière eux.

Ce parti très simple réservait donc au travail du peintre, devenu « sculpteur » des costumes, la part principale et aux dessins ici présentés une autonomie par rapport à la scénographie qui en fait des œuvres graphiques en elles-mêmes.

139
Une des esquisses pour A ma femme,
1933-44 ?

Encre noire à la plume et à la brosse sur papier Canson Lavis B.
492 × 642
Non signé.

Saint-Paul-de-Vence, collection de l'artiste.

Les dates que nous annonçons ici méritent discussion : cette feuille est, en effet, l'esquisse d'un tableau qui connut sa

139

version définitive en 1944 mais fut commencé — et achevé dans un premier état tout à fait satisfaisant — en 1933, à Paris. La première toile est signalée au catalogue de Franz Meyer comme étant signée et datée *Marc Chagall 1933* (cat. ill. 612), la seconde comme étant signée et datée *Marc Chagall 1933-1944* (cat. ill. 750). Cette seconde peinture se trouve aujourd'hui à Paris, au Musée national d'art moderne.

Il est difficile d'imaginer que Chagall entreprit de nouvelles esquisses pour le second tableau, tant les deux versions sont proches, en construction et en figures. Pourtant, une différence fondamentale nous semble les séparer : le tableau de 1933 superpose deux plans, celui des figures et celui de la couleur, ce dernier étant articulé en compartiments nettement contrastés. En 1944, au contraire, l'ensemble du tableau baigne dans une même lumière, et seuls le nu et la fiancée se détachent en clair sur le fond. A cet égard, notre esquisse semble donc plus proche de la toile de 1944.

Une analyse des figures renvoie cependant l'esquisse à la préparation de la première toile : le bouquet très intense ici se retrouve en une masse très sombre dans la version de 1933, tandis qu'il est absorbé par le fond en 1944. Le couple occupe en 1933 et dans l'esquisse la seule moitié supérieure de la composition, tandis qu'en 1944 il s'étend jusqu'en bas ; le petit animal auprès du nu disparaît dans le tableau de 1944, alors qu'il est présent dans la version de 1933.

Tout cela nous fait opter — en un point de vue tout personnel — pour une datation en 1933, plutôt qu'en 1944. Néanmoins, nous avons respecté la datation donnée de vive voix par l'artiste, et pensé qu'il était plus intéressant de souligner ainsi à quel point des œuvres commencées — et abouties — dans une période peuvent connaître des transformations plus de dix ans après. C'est aussi le cas de *Révolution* (notre n° 105), transformé en 1948 et en 1952. Dès lors que la lumière et la couleur sont les objets privilégiés du travail du peintre, les figures et l'iconographie du tableau passent au second plan. Ce trait est particulièrement significatif ici, à un moment de l'œuvre de Chagall où la plupart de ses thèmes sont définis dans des personnages ou des objets donnés, et continuellement repris pour de nouvelles compositions. Il est ainsi intéressant de ne pas voir apparaître ici le Christ, si fréquemment associé aux autres figures au cours de ces années de guerre. La pendule et son cadran en sont, néanmoins — nous l'avons relevé dans l'esquisse pour *La Crucifixion en jaune* (n° 129) — la métaphore possible.

140

On peut donc raisonnablement se demander si deux événements ne sont pas venus se conjuguer pour faire naître ce dessin — manifestement fait par l'artiste pour lui-même : d'une part, le passage du tableau de 1915 de son atelier à une collection privée ; d'autre part, la mort de Bella en septembre 1944, qui ravive chez Chagall les souvenirs les plus heureux de leur vie commune. Le dessin serait alors une double célébration, dans un coloris grave, du départ de l'aimée et du poème que Chagall lui avait dédié. Le peintre lui-même se confond avec les acrobates fendant le ciel de ses tableaux depuis que le cirque, dans la seconde période parisienne, est devenu un thème majeur, mais aussi avec les anges et singulièrement le joueur de trompette associé aux fiancés de l'esquisse précédente (n° 139).

140
Rencontre, 1940-50

Encre noire et aquarelle sur papier vergé blanc.
290 × 230
Signé en bas à gauche à l'encre : *Marc Chagall.*
Mention au dos du montage : 1940/50.

Saint-Paul-de-Vence, collection de l'artiste.

Il s'agit ici d'une reprise, dans une autre matière, une autre lumière et un coloris tout différent, du tableau de 1915, *L'Anniversaire* (doc. 65), que Chagall avait emporté avec lui aux Etats-Unis et qui, entré dans la collection de Lillie P. Bliss, fut légué en 1945 au Museum of Modern Art de New York.

doc. 65

141

141
Maquette pour le rideau d'ouverture de L'Oiseau de feu, 1945

Gouache sur papier.
385 × 635
Signé en bas à droite à l'encre : *Chagall.*

Bibliographie :
F. Meyer 1964, p. 483 ; J. Lassaigne 1969, repr. p. 68-69.

Expositions :
1953, Turin, n° 248 repr. ; 1962, New York ; 1967, Toulouse, n° 109.

Saint-Paul-de-Vence, collection de l'artiste.

Voir n° 142.

142
Maquette pour le rideau du troisième acte de L'Oiseau de feu, 1945

Gouache sur papier Canson.
380 × 635
Signé en bas à gauche à l'encre : *Chagall Act. 3.*

Bibliographie :
F. Meyer 1964, cat. ill. 757 ; J. Lassaigne 1969, repr. p. 92-93.

Expositions :
1953, Turin, n° 251 repr. ; 1962, New York ; 1967, Toulouse, n° 110 repr. (sous le titre *Hymen*).

Saint-Paul-de-Vence, collection de l'artiste.

Beaucoup plus encore que pour *Aleko*, Chagall s'est appliqué à créer un monde aussi mouvant que celui de la danse, traversé d'éclairs ou de feux d'artifice comme l'annonçait le dernier rideau de 1942 (notre n° 135).

Le rideau d'ouverture (n° 141), que le spectateur contemple avant que le spectacle ne commence, est en quelque sorte le générique de l'histoire : une femme est confondue avec un oiseau, thème fait pour le peintre qui s'est d'ailleurs représenté la palette à la main dans l'angle inférieur droit de la feuille. Au bleu le plus intense, nocturne et phosphorescent, succédera le vert de *La Forêt enchantée* (décor du 1er acte), puis le jaune du *Château enchanté* (2e acte) et, enfin, le rouge du troisième acte, ici montré (voir aussi la reproduction en couleurs). La progression chromatique va donc du plus froid au plus chaud, et en même temps de la nuit au couchant en passant par la lumière du matin et celle de midi.

Le décor du troisième acte est particulièrement riche en références inattendues : il montre les deux héros emportés par l'amour vainqueur dans une ascension que couronne le dais — juif — du mariage. Trompette et violon les accompagnent en haut de la composition, des chandelles autant religieuses, celles de la *Menorah*, que profanes, celles d'un gâteau de fête, répandent partout leur éclat. Les deux échelles renvoient à l'acte précédent (la princesse pénètre dans le château de son enchantement par une échelle) mais accompagnent aussi les époux dans leur ascension vers le ciel.

Ce que Chagall expérimente pour la première fois sur cette feuille est cependant beaucoup plus important : il tente la réconciliation d'éléments purement structurels, circulaires et obliques, avec les figures dont nous venons de dresser la liste rapide, mais en dehors de toute signification spirituelle précise, à l'instar de la fusion d'une pendule avec une créature

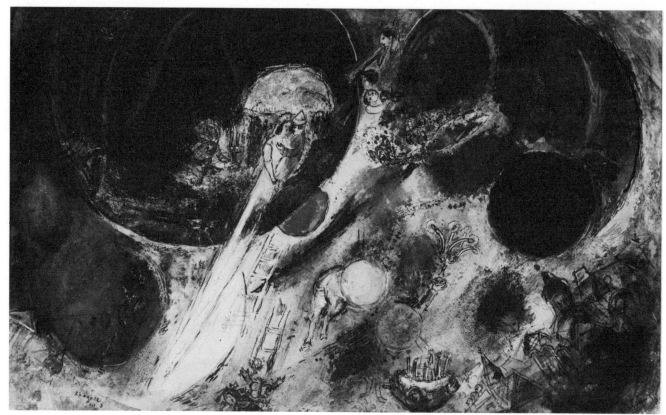

142   (en couleur p. 180)

devenue aiguille, l'*Adam et Eve* de 1912 (n°s 30 à 32). En cela, le décor du troisième acte renoue avec celui du *Baladin du Monde occidental* (n° 90) ou bien avec l'*Introduction au Théâtre d'Art juif* (n° 75) ; un ensemble de bandes, de surfaces géométriques contrastées créait un rythme indépendant des figures, mais bien évidemment nécessaire pour soutenir et accentuer leur mobilité.

L'*Introduction au Théâtre d'Art juif* menait le cortège triomphal de bas en haut sur une longue diagonale dont le début se situait du côté de l'entrée du théâtre et l'aboutissement du côté de la scène, sanctuaire de l'action théâtrale. Aussi la figure géométrique principale était-elle l'oblique noire bar-

rant au premier tiers le déroulement de la théorie, et lui donnant son élan. Ici, il ne s'agit plus d'aller de gauche à droite, du jardin à la cour, ni d'entrer en scène pour en sortir : dans une perspective frontale, il ne peut s'agir que d'aller de bas en haut, et faire s'envoler tout le final du spectacle vers les cintres. A cela contribuent le couple et les échelles, c'est-à-dire les obliques ascendantes, mais aussi les cercles, dont la rotation confère la dynamique nécessaire à l'ensemble.

La synthèse réussie du rythme et de la figure se trouve ainsi reprise dans le *Cantique des Cantiques III* (doc. 66) pratiquement telle quelle, lorsque Chagall peint entre 1960 et 1970 les derniers tableaux du *Message Biblique*.

doc. 66

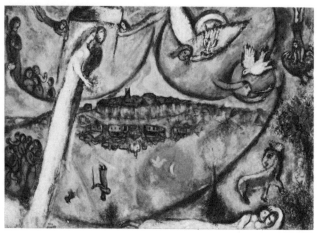

143

Maquette de costume pour L'Oiseau de feu : Monstre violet, 1945

Gouache sur papier.
425 × 350
Signé en bas à gauche au crayon : *Chagall 1945*.

Bibliographie :
J. Lassaigne 1969, repr. p. 97.

Expositions :
1953, Turin, n° 259 repr.

Saint-Paul-de-Vence, collection de l'artiste.

Voir n° 153.

143 (en couleur p. 178)

144 (en couleur p. 179)

144
Maquette de costume pour L'Oiseau de feu : Démon, 1945

Crayon, aquarelle et gouache sur papier Canson.
425 × 345
Signé en bas à droite au crayon : *Chagall 945.*

Bibliographie :
J. Lassaigne 1969, repr. p. 89.

Expositions :
1967, Toulouse, n° 115 (sous le titre *Monstre en marron*).

Saint-Paul-de-Vence, collection de l'artiste.

Voir n° 153.

145
Maquette de costume pour L'Oiseau de feu : Monstre, 1945

Crayon, aquarelle et gouache sur papier Canson.
465 × 290
Signé en bas à gauche au crayon : *Marc Chagall 1945.*

Bibliographie :
F. Meyer 1964, cat. ill. 753 ; J. Lassaigne 1969, p. 81.

Expositions :
1967, Toulouse, n° 116 (sous le titre *Monstre en jaune et bleu*).

Saint-Paul-de-Vence, collection de l'artiste.

Voir n° 153.

145 (en couleur p. 182)

146

147

Expositions :
1967, Toulouse, n° 117 (sous le titre *Monstre rouge).*

Saint-Paul-de-Vence, collection de l'artiste.

Voir n° 153.

146
Maquette de costume pour L'Oiseau de feu : Monstre au coq, 1945

Crayon et gouache sur papier Canson.
510 × 320
Non signé.
Mention en bas à gauche au crayon : *Rop Tights 19.*

Bibliographie :
J. Lassaigne 1969, repr. p. 103.

Expositions :
1962, New York ; 1967, Toulouse, n° 114.

Saint-Paul-de-Vence, collection de l'artiste.

Voir n° 153.

147
Maquette de costume pour L'Oiseau de feu : Monstre à tête de coq, 1945

Crayon, aquarelle et gouache sur papier.
416 × 330
Signé en bas au milieu au crayon : *Chagall Marc.*

148
Maquette de costume pour L'Oiseau de feu : Le Sorcier Katchaï, 1945

Aquarelle et gouache sur papier Canson.
422 × 345
Signé en bas au milieu à l'encre : *Chagall Marc 1945.*

Bibliographie :
J. Lassaigne 1969, repr. p. 65.

Saint-Paul-de-Vence, collection de l'artiste.

Voir n° 153.

149
Maquette de costume pour L'Oiseau de feu : Danseuse violette, 1945

Crayon, aquarelle et gouache sur papier Canson.
425 × 334
Non signé.

Bibliographie :
J. Lassaigne 1969, repr. p. 87.

Saint-Paul-de-Vence, collection de l'artiste.

Voir n° 153.

148

149

150

150
**Maquette de costume pour L'Oiseau de feu :
Costume de paysanne, 1945**

Crayon et aquarelle sur papier Canson.
505 × 325
Non signé.

Bibliographie :
J. Lassaigne 1969, repr. p. 62.

Saint-Paul-de-Vence, collection de l'artiste.

Voir n° 153.

151 (en couleur p. 181)

151
Maquette de costume pour L'Oiseau de feu : Servante aux fruits, 1945

Crayon, aquarelle et gouache sur papier Canson.
460 × 360
Signé en bas à droite au crayon : *Marc Chagall.*

Bibliographie :
J. Lassaigne 1969, repr. p. 9.

Expositions :
1953, Turin, n° 254 repr. ; 1962, New York ; 1967, Toulouse, n° 126.

Saint-Paul-de-Vence, collection de l'artiste.

Voir n° 153.

152
Maquette de costume pour L'Oiseau de feu : L'Homme à l'oiseau bleu, 1945

Crayon, aquarelle et gouache sur papier Canson.
425 × 340
Non signé.

Bibliographie :
J. Lassaigne 1969, p. 57 (sous le titre *La Chasse*).

Expositions :
1962, New York ; 1967, Toulouse, n° 128.

Saint-Paul-de-Vence, collection de l'artiste.

Voir n° 153.

152

153
Maquette de costumes pour L'Oiseau de feu : L'Oiseau de feu, 1945

Crayon, encre noire, pastel et aquarelle sur papier Canson.
481 × 411
Non signé.

Expositions :
1962, New York.

Saint-Paul-de-Vence, collection de l'artiste.

L'enchantement, constamment présent dans *L'Oiseau de feu*, commande la création des personnages les plus saugrenus que Chagall ait jamais dessinés : tenus de rester proches de l'humain, puisque destinés à habiller des danseurs qui ne souffrent pas de costumes lourds et entravés, ces masques s'appliquent surtout à changer les visages. *Le Sorcier Katchaï* (n° 148) et les monstres qui ne sont autres que les créatures qu'il retient prisonnières, forment une tribu inquiétante, droit sortie de l'Afrique pourtant si éloignée de la culture et des références familières de Chagall : têtes Baoulé, masques à cornes ou à plumes, maquillages plus proches des tatouages, se mêlent allègrement à des figures plus traditionnelles ou plus proches du ballet classique (n° 152).

Ici encore, Chagall tint à peindre lui-même chaque costume, aidé de sa fille Ida. Les présentes esquisses sont donc encore éloignées de la réalisation et mènent une vie indépendante, savoureuse et parfois violente : les monstres et le sorcier Katchaï ont hérité d'une force qui les rapproche des gouaches de 1912-14, d'une efficacité qui n'est pas éloignée

153

des dessins de la seconde période russe. On peut relever des
similitudes avec l'œuvre peint : ainsi *La Servante aux fruits*
n'est pas sans rappeler une gouache de 1942, faite au Mexique : *Le Panier de fruits* (F. Meyer 1964, cat. ill. 710).

France, 1946

Il n'est pas tout à fait exact de faire débuter la troisième période française en 1946, puisque Chagall ne s'installe dans le Midi et à Vence qu'au printemps de 1950. Néanmoins, il quitte les Etats-Unis en 1946 pour Paris, où il passe trois mois qui le confirment dans son désir de retrouver la France.

La France, au fond, plus que Paris : la ville où il a vécu avec Bella lui rappelle encore de façon douloureuse trop de moments de leur vie d'avant-guerre. Par ailleurs, la capitale compte ses morts, ses disparus, tous ceux qui, comme Max Jacob, ont été emmenés et dont au lendemain de la guerre le destin tragique est apparu en pleine lumière : Chagall ne s'est pas remis de cette épreuve qu'il avait vécue, au loin, impuissant mais parfaitement solidaire. Aussi s'installe-t-il en 1949 en banlieue, à Orgeval près de Saint-Germain-en-Laye. Dès le mois de janvier de la même année, il part en voyage au Cap Ferrat : c'est là qu'il reconnaît sa nouvelle patrie, et que commence en fait une nouvelle époque de sa vie.

Chagall méditerranéen

L'adjectif est d'André Verdet, et lui va bien. Cet homme avait été de la Russie tsariste et du ghetto, puis était devenu parisien, puis à nouveau Russe, mais cette fois-ci révolutionnaire ; il avait vécu dans le Paris des années 20 et 30 et, enfin, dans l'Amérique de Roosevelt : il lui restait pourtant à retrouver le berceau du monde occidental, le creuset, le carrefour des grandes civilisations : la Méditerranée.

Chagall est poussé à ce choix, sans doute pour les raisons que nous venons d'avancer, mais surtout pour la seule raison qui tienne vraiment à son art : la plus belle lumière est celle de la Méditerranée. C'est elle qu'il pressent dans la révolution impressionniste, dans les ciels de Paris, enfin en Palestine lors du voyage de 1930. Le bref séjour à Gordes, avant le départ aux Etats-Unis, avait dû beaucoup compter dans cet appétit de lumière pure. Il la connaissait, il l'avait appréciée. Ces années en Provence sont accompagnées de séjours au Cap Ferrat, mais aussi de deux séjours déterminants en Grèce, et sont nourries de souvenirs de voyages. En effet, il est très rare que Chagall s'installe devant le paysage et dessine ou peigne sur le motif : il préfère à son retour reprendre ses annotations rapides et réinventer une Méditerranée mythique, où le sujet n'est plus le paysage, mais le bleu, l'éclat ou encore la nuit.

Par ailleurs, la présence de Chagall dans le Midi français n'a rien d'exceptionnel. Ils sont, en effet, nombreux, ceux qui depuis longtemps déjà habitaient la côte : Bonnard vivait au Cannet, et avant lui Renoir à Cagnes ; Matisse habitait Nice, Picasso Vauvenargues, puis Cannes et enfin Mougins ; Cocteau et Dufy y passaient extrêmement souvent, Van Dongen et Léger y laissèrent des collections entières. Ceci dit, il ne faut pas ignorer la commodité supplémentaire qu'offrait la région : recherchée du monde entier, elle drainait dès l'après-guerre un public certes, mais aussi et surtout une clientèle. Bien placés pour le comprendre, Aimé et Marguerite Maeght surent prendre, comme on sait, la tête du mouvement, avec une invention et une exigence faites pour servir d'abord les artistes.

Le succès

Les noms de Maeght à Paris, de Pierre Matisse à New York sont donc désormais associés à celui de Chagall, comme bien d'autres qui donnent au peintre des occasions de multiplier et de diversifier ses travaux ; en même temps, et là apparaît une des conséquences de ce contexte nouveau, Chagall se voit proposer de plus en plus de projets, qui à leur tour en engendrent d'autres : cette spirale d'autant plus active que le peintre possède une énergie hors du commun pour les mener à bien, l'entraîne néanmoins hors du champ privilégié du dessin, qui est l'œuvre intime.

Ceci posé, on ne peut perdre de vue que, bien souvent, l'œuvre accompli est seul connu du public, les feuilles préparatoires étant — relativement — escamotées. Chagall est perçu dans les années soixante comme un peintre et accessoirement, c'est-à-dire dans des milieux bien plus restreints, comme un graveur : tout l'œuvre gravé pour Vollard — Gogol, La Fontaine et la Bible — ne sort, grâce à Tériade, que de 1948 à 1956. Le prix de gravure de la Biennale de Venise est précisément décerné à Chagall en 1948. Mais il est flagrant, dans l'ouvrage que Franz Meyer achève en 1960, que Chagall lui-même souhaite apparaître comme un peintre et que ses familiers le présentent ainsi ! Or, les années 1950-60 sont le moment d'un effet de bascule chez Chagall, provoqué par une série considérable de commandes venues des horizons les plus divers : le livre, où le dessin devient illustration (Eluard, Aragon et bien d'autres) ; la peinture monumentale, où le dessin devient esquisse préparatoire (l'Opéra de Paris, le décor du Foyer du Théâtre de Francfort, le Metropolitan Opera de New York) ; le vitrail, la mosaïque et la tapisserie, où le dessin s'appelle carton ; le théâtre, où il se fait maquette ; enfin et surtout la lithographie, bien plus de six cents à ce jour, qui n'est séparée du dessin que par l'absence de matière et l'usage démultiplié du dessin que le procédé permet.

Le travail secret

On pense rarement qu'en 1947, lorsque Paris organise enfin sa première grande rétrospective, Chagall a exactement soixante ans. Nous rappelons brièvement, en présentant cinq des esquisses pour le *Message Biblique,* comment trois ans plus tard, en 1950, il décidait d'entamer son grand-œuvre, son testament spirituel et plastique. Dès cette date, il dessine sans cesse, pour évaluer l'effet et la légitimité de ses compositions, l'efficacité et le dialogue de ses couleurs, le caractère et la présence de ses figures. Ce travail dure jusqu'en 1967 et se présente, en aval de sa carrière, comme une synthèse de tous les sens réunis dans l'œuvre, de toutes les formes inventées ; en amont, comme une mine de formes nouvelles qui vont pouvoir nourrir les créations qu'on lui propose : vitraux, lithographies, tapisseries ou gravures. Du phénomène de synthèse, il est particulièrement intéressant de présenter ici un exemple, à notre connaissance inédit, comme constante dans l'art de Chagall.

L'artiste a toujours conservé dans ses cartons l'esquisse au crayon (notre n° 40, ci-dessous) du *Marchand de Journaux,* pour le portrait donné récemment par Ida Chagall au Musée national d'art moderne. Nous avons souligné comment ce visage paraissait affligé du poids considérable et douloureux des titres des journaux qu'il porte : « Guerre », annoncent-ils en 1914.

En 1931, il peint la dernière des quarante gouaches du *Message Biblique :* un portrait d'*Aaron* (doc. 67). Même tête de vieillard, même barbe, mais surtout même composition : autour du cou d'Aaron pend le rational, cette plaque rituelle sertie de douze pierres précieuses qui symbolisent les douze tribus d'Israël, mais que Chagall a transformée en un parchemin couvert de l'Ecriture, de la Loi. L'expression à la fois lasse

et rêveuse du prêtre *Aaron* rejoint celle du *Marchand de journaux,* pleine de détresse muette. Les deux œuvres s'éclairent ici mutuellement, leur sens s'enrichit, l'image biblique est nourrie de l'image quotidienne. La loi divine est dure à vivre, disent-ils ensemble ; *Le Marchand de journaux* devient le porteur des prophéties, *Aaron* trop humain pleure sur le destin fait à l'homme.

Les déplacements d'un sens à l'autre s'accompagnent aussi bien du passage entre deux techniques : Chagall grave en couleur pour *De mauvais sujets,* de Jean Paulhan ; il peint mais aussi dessine à la grisaille sur les vitraux de Charles Marq et Brigitte Simon, une fois la composition colorée donnée. Ces frontières ne l'arrêtent pas : ce qui compte, c'est qu'à travers la palpitation de la « peau » de l'œuvre, la figure, homme ou animal, semble venue d'un autre monde, « surnaturel », telle une apparition. Au-delà de cette exigence, toutes les fantaisies se donnent libre cours ; plus que les toiles, le papier blanc se prête ici à l'effusion de vapeurs lumineuses toutes aussi propices à l'évocation du monde méditerranéen qu'à la célébration du monde biblique.

Saint-Paul-de-Vence

Marc et Valentina Chagall s'installent en 1967 dans la maison bâtie pour eux, plus commode et plus retirée, dans les environs du village de Saint-Paul-de-Vence. Retraite paisible, ce nouveau lieu n'est pas pour Chagall celui de la retraite tout court, dont les peintres n'ont que faire. Dans trois ateliers aménagés pour la peinture — y compris les toiles monumentales —, la gravure et le dessin, ils mènent une existence de travail, au rythme soutenu des commandes, entourés de visiteurs et de collaborateurs. Chagall, heureux de connaître les réactions du public devant son *Message Biblique* — le Musée est ouvert depuis 1973 à Nice — ne quitte cependant pas ses chevalets et sa table. Vont-ils en voyage, que son épouse veille à ce qu'il ait, loin de ses objets familiers et de ses pinceaux, au moins le papier et les crayons, les pastels et l'encre nécessaires pour travailler. Plusieurs dessins présentés ici on été faits ainsi (n° 187).

De cette période, une quantité d'œuvres considérable jaillit, dont les maquettes pour des vitraux, des tapisseries et des mosaïques, des peintures parfois monumentales et des pastels ou des lavis avec lesquels il était indispensable de clore ce rassemblement.

La peinture de Chagall s'est encore éclairée au cours de ces années, atteignant la transparence nacrée des mosaïques auxquelles par ailleurs il travaille : les blancs le tentent, et c'est à cette recherche qu'il convient de rattacher les grands papiers donnés à Pierre Matisse (n°s 193 à 201), ou encore inédits, de 1979 à 1983. Aux querelles byzantines de ceux qui seraient tentés d'enfermer dans d'étanches compartiments la peinture et le dessin, Chagall répond par l'accord des noirs et des blancs dans des lavis de gris, plus nacrés encore que dans ses peintures. Aux accents sauvages, parfois, de ses dessins russes de la Révolution, noirs contre blancs, il donne cette succession lumineuse et sereine.

doc. 67

cat. n° 40

154

154
Nature morte aux deux paniers de fruits, 1949

Encre noire, lavis rehaussé sur papier blanc.
620 × 500
Signé en bas à droite à l'encre : *Chagall Marc 1949.*

Provenance :
Don de Madame Ida Chagall au Musée national d'art moderne en 1949.

Paris, Centre G. Pompidou, Musée national d'art moderne.

Voir n° 160.

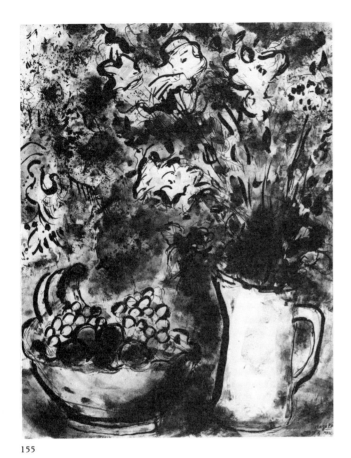

155

155

Nature morte au bouquet de fleurs, 1949

Encre noire et lavis rehaussé sur papier blanc.
620 × 480
Signé en bas à droite à l'encre : *Chagall Marc 49.*

Provenance :
Don de Madame Ida Chagall au Musée national d'art moderne en 1949.

Paris, Centre G. Pompidou, Musée national d'art moderne.

Voir n° 160.

156

Les Deux Têtes, 1949

Encre noire à la plume et au pinceau sur lavis, rehauts de gouache sur papier d'Arches.
490 × 650
Signé en bas à droite à l'encre noire : *Marc Chagall Vence 1949.*

Expositions :
1953, Turin, n° 154 repr.

Paris, collection particulière.

Voir n° 160.

156
(en couleur p. 183)

157 (en couleur p. 185)

157
Les Amants sur le toit, 1949

Aquarelle sur papier blanc.
750 × 555
Signé en bas à gauche à l'encre : *Marc Chagall.*

Provenance :
A la galerie Maeght en 1953.

Expositions :
1953, Turin, n° 165 repr. (daté 1952) ; 1976, Tokyo, n° 76 repr.

Paris, collection particulière.

Voir n° 160.

158
Sirène, 1949

Gouache sur papier.
650 × 500
Signé en bas à droite à l'encre : *Chagall Marc 949.*

Bibliographie :
F. Meyer 1964, cat. ill. 798.

Expositions :
1953, Turin, n° 157 ; 1982, Stockholm, n° 68 repr.

Bâle, collection particulière.

Voir n° 160.

159
La Bête et l'enfant, 1949

Gouache sur papier.
650 × 500
Signé en bas à droite à l'encre : *Marc Chagall 1949.*

Bibliographie :
F. Meyer 1964, cat. ill. 800.

Expositions :
1953, Turin, n° 155 ; 1969-70, Paris, n° 106 repr. ; 1976, Tokyo, n° 72 repr. ; 1982, Stockholm, n° 67 repr.

Bâle, collection particulière.

Voir n° 160.

160
Les Poissons dans la rue, 1950

Encre noire et aquarelle sur papier.
550 × 750
Signé en bas à droite à l'encre : *Chagall Marc 1950.*

Expositions :
1953, Turin, n° 163 repr.

Paris, collection Ida Chagall.

A Orgeval, où Chagall s'installe définitivement après son retour en France en août 1948, puis à Saint-Jean-Cap-Ferrat dès janvier 1949, naît une série de lavis où l'artiste s'ingénie à créer la lumière en jouant avec les seules valeurs, plus qu'avec les couleurs. D'autre part, l'élégie et la célébration de la nature occupent une part importante dans les œuvres : natures mortes devant la fenêtre de l'atelier (n°s 154 et 155), couples enlacés (n°s 156 et 157), créatures chimériques ou légendaires (n°s 158 et 159) ou, enfin, combinaison d'une nature morte et d'un paysage (n° 160). La vibration constitue plus que jamais l'objet des recherches de Chagall, et nous avons dit en introduction comment elle se révèle être le moyen le plus adapté pour que l'artiste bâtisse l'œuvre spirituel auquel, dès 1950, il songe en priorité (n°s 161 à 164).

Avec *Les Deux Têtes* (n° 156), nous pouvons présenter ici l'aboutissement de ces recherches : le feuillage peint à contre-jour — en ce moment du crépuscule où le vert vire au noir — est encore couleur mais apparaît en ombre. Le fourmillement des traits légers de pinceau, l'oiseau, le petit paysage créent une musique tout autour des deux êtres dont les visages sont éclairés par réflexion. La phosphorescence et l'irradiation sont ici les deux modes de cheminement de la lumière, tandis qu'à la décision de la main — les feuilles noires créées d'une touche — s'ajoute et s'oppose la tendresse du récit.

La Méditerranée le dispute aux souvenirs de Russie : la rue du village, pour autant qu'elle évoque la morosité de Vitebsk et la frugalité du repas, est d'abord un paysage nocturne et un morceau de virtuosité sur les transparences et l'emploi de larges réserves de papier blanc. Pain et poissons sont ici comme les signes d'une austérité supplémentaire, accordée aux références religieuses qu'un tel sujet comporte. L'emploi privilégié du noir et du blanc à cette période évoque le travail que Chagall fit pour Tériade : à la demande de l'éditeur, il s'inspira de chacune des miniatures en couleurs d'un *Décameron* du 15e siècle pour donner des planches qui parurent en 1950, en regard des illustrations médiévales. Par ailleurs, ces

158

159

160   (en couleur p. 184)

lavis et encres vont constituer pour le peintre un fonds à partir duquel il composera ses premières lithographies en France, pour la revue *Verve* éditée par Tériade et pour les cahiers *Derrière le miroir* publiés par les éditions Maeght.

161

162 (en couleur p. 177)

163

161
La Lutte de Jacob et de l'Ange, 1950

Crayon et encre noire sur papier crème.
229 × 200
Signé en haut à droite à l'encre : *Marc Chagall.*

Saint-Paul-de-Vence, collection de l'artiste.

Voir n° 164.

162
La Lutte de Jacob et de l'Ange, 1950-52

Encre noire, lavis de gris et aquarelle sur papier d'Arches.
634 × 481
Signé en bas à droite à l'encre : *Marc Chagall.*

Saint-Paul-de-Vence, collection de l'artiste.

Voir n° 164.

163
Joseph berger, 1950-52

Encre noire, lavis de gris et gouache sur papier d'Arches.
753 × 538
Non signé.

Saint-Paul-de-Vence, collection de l'artiste.

Voir n° 164.

164

doc. 68

164
Esquisse pour L'Exode, 1952

Crayon, encre noire, lavis de gris et rehauts de gouache blanche sur papier d'Arches satiné.
551 × 760
Non signé.

Saint-Paul-de-Vence, collection de l'artiste.

Ce grand lavis nocturne prépare la toile que Chagall acheva en 1966 (collection de l'artiste, doc. 68). La figure du Christ, dans un nimbe irradié, domine la ville en flammes et une foule peuplée des figures de prédilection : Moïse et le vieillard au sac sur le dos forment un volet biblique à droite, tandis qu'un violoniste, une mariée et le peintre à la palette lui font à gauche un pendant élégiaque et artistique. Le poisson, l'oiseau, la vache et une femme volante constituent un tétragramme chagallien dans le ciel.

Les deux aspects sacré et humain de l'œuvre du peintre se trouvent donc ici réunis. Très tôt, en effet, dès son installation à Vence, Chagall pense composer un cycle monumental sur la Bible, et s'essaye à quelques grandes peintures. Un premier lieu lui est suggéré en janvier 1950, la Chapelle du Calvaire pratiquement désaffectée. Le projet échouera (voir nᵒˢ 182 à 186), mais renaîtra de plus belle dans la réalisation d'un musée national à Nice ; cette toile ne sera jamais intégrée au cycle, mais trouvera de nombreuses successions dans les tableaux du *Message Biblique* où le peuple est l'acteur principal. En revanche, les trois lavis précédents trouvent des échos directs dans l'œuvre biblique et le cycle de Nice : dès 1931, Chagall peint une gouache où Joseph est peint en pied, à la façon d'un portrait monumental. Les deux *Lutte de Jacob et de l'Ange* sont liées à une autre œuvre qui n'avait pu que frapper Chagall lors de ses séjours à Berlin : *La Lutte de Jacob et de l'Ange* par Rembrandt, aujourd'hui au Musée de Dahlem (doc. 69), qu'a peut-être complétée celle de Delacroix à Paris, dans l'église Saint-Sulpice (doc. 70). Dans les deux cas, Chagall réserve la lumière du papier blanc à la créature divine et organise autour d'elle un réseau de hachures et de lavis brossés, une ombre qui évoque la méthode du graveur. Complétés de nombreux éléments dont un paysage qui en change entièrement l'équilibre, l'atmosphère et lance le couple des combattants en plein ciel, ces lavis annoncent *La Lutte de Jacob et de l'Ange* de Nice, achevée dans les années soixante (doc. 71).

doc. 69

doc. 71

doc. 70

Cat. n° 162   La Lutte de Jacob et de l'Ange, 1950-52

Cat. n° 143   Maquette de costume pour L'Oiseau de feu : Monstre violet, 1945

Cat. nº 144   Maquette de costume pour L'Oiseau de feu : Démon, 1945

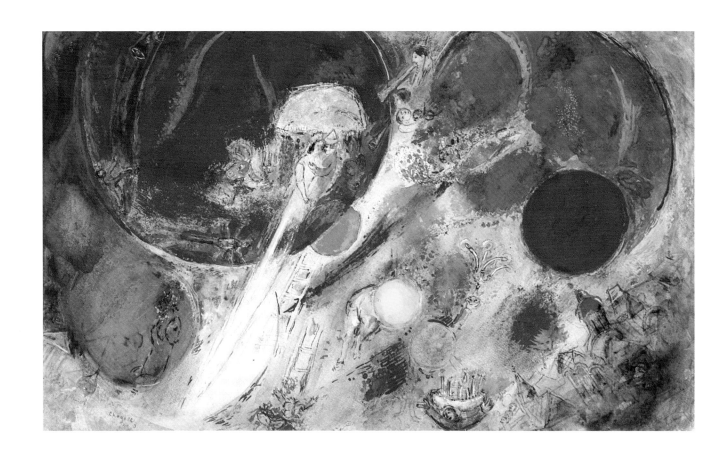

Cat. nº 142   Maquette pour le rideau du troisième acte de L'Oiseau de feu, 1945

Cat. nº 151   Maquette de costume pour L'Oiseau de feu : Servante aux fruits, 1945

Cat. nº 145   Maquette de costume pour L'Oiseau de feu : Monsre, 1945

Cat. nº 156   Les Deux Têtes, 1949

Cat. nº 160 Les Poissons dans la rue, 1950

184

Cat. n° 157   Les Amants sur le toit, 1949

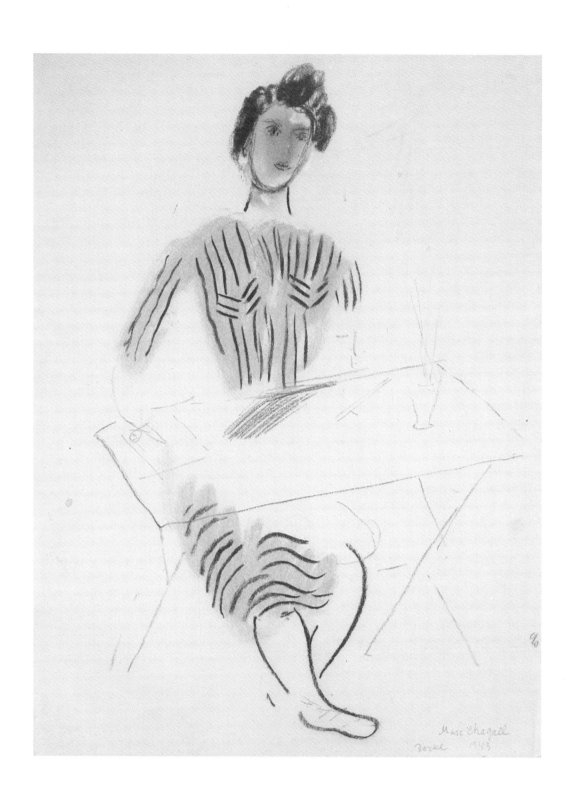

Cat. nº 132   Femme assise devant une table, 1943

Cat. nº 173   Cirque, 1960

Cat. nº 171   Daphnis et Chloé, 1956

Cat. nº 178   Maquette de costume pour Phileton dans Daphnis et Chloé, 1958

Cat. nº 180   Maquette de décor pour La Flûte enchantée, 1967

Cat. nº 187   Crucifixion, 1972

191

Cat. n° 193   Fête au village, 1980

165
Le Jardin de Tériade, 1952

Crayon sur papier d'Arches crème.
421 × 321
Signé en bas à droite au crayon : *Jardin de Tériade 1954-5 Marc Chagall.*
Au dos du dessin : reprise des lignes essentielles de la composition avec des indications en russe.

Saint-Paul-de-Vence, collection de l'artiste.

Voir n° 166.

166
Le Jardin de Tériade, 1952

Crayon sur papier blanc.
422 × 324
Signé en bas au milieu au crayon : *Jardin de Tériade ;* à droite : *1954-5 Marc Chagall.*

Saint-Paul-de-Vence, collection de l'artiste.

Ces deux dessins font partie d'une série plus importante et, malgré la mention *1954-5* de la main de l'artiste, sont notés dans ses archives photographiques : avril 1952. C'est également la date que donne Franz Meyer (1964) dans son catalogue illustré (n° 903), où il reproduit une autre feuille.

Il est rare de trouver des œuvres peintes ou dessinées sur le motif parmi les toiles et les papiers de Chagall. Elles en sont d'autant plus précieuses puisque, à une époque plus tardive, elles montrent que le dessinateur des rues de Vitebsk en 1909, des portraits de sa famille en Russie ou à Berlin, l'observateur attentif de la réalité et de la nature n'a jamais cessé de travailler d'après le modèle. Il a su rendre ici, d'un crayon que l'on voit courir sur le papier, le frémissement des feuillages autant que la somptuosité de la nature méditerranéenne, et provoquer cette palpitation de la forme déjà reconnue dans les compositions rêvées (n° 156).

Ces feuilles évoquent, en outre, la grande figure de l'éditeur Tériade, disparu en 1983, qui joua auprès de Chagall un rôle décisif après la guerre, et singulièrement dans le domaine de l'œuvre sur papier. C'est à lui que l'on doit en particulier tous les travaux de l'artiste pour la revue *Verve*, et la parution de tous les ensembles gravés commandés par Vollard mais abandonnés dans ses cartons. Une exposition (Paris, 1973) a rendu justice à la collaboration de Tériade avec un nombre considérable d'artistes, très souvent plus qu'attentifs au monde méditerranéen.

C'est également Tériade qui poussa le peintre à voyager en Grèce, sa patrie d'origine mais aussi un pays où il pouvait imaginer que Chagall trouverait, après le Mourillon en 1926, la Palestine en 1931 et le Cap Ferrat en 1949, d'autres lieux où la présence de la mer et la puissance de la nature susciteraient chez lui de nouvelles conquêtes de l'imaginaire. C'est ainsi que naquirent les lithographies pour *Daphnis et Chloé,* dont il crée les esquisses dès ce premier voyage de l'été 1952, et que pourra ensuite prendre corps le projet de scénographie pour Ravel en 1964 (voir n°s 176 à 179).

165

166

167

169

168

167
Femme au bouquet, 1952

Encre noire à la brosse, retouchée à la gouache blanche sur papier blanc.
645 × 498
Signé en bas à droite au crayon : *Marc Chagall 1952.*
Au-dessus de la signature, dédicace au crayon : *Pour Ida ma fille.*

Provenance :
Don de l'artiste à Ida Chagall.

Paris, collection particulière.

Voir n° 171.

168
Bouquet à la fenêtre, 1952

Encre noire à la brosse sur papier d'Arches satiné.
649 × 498
Signé en bas à droite à l'encre : *1952 Vence Marc Chagall.*

Saint-Paul-de-Vence, collection de l'artiste.

Voir n° 171.

169
Nature morte au bouquet, 1953

Encre noire à la brosse sur bristol crème.
649 × 498
Signé en bas à gauche à l'encre : *Marc Chagall 1953.*

Saint-Paul-de-Vence, collection de l'artiste.

Voir n° 171.

170

170
Le Soir, 1955

Encre noire, lavis de gris et frottages sur papier Canson beige.
1070 × 739
Signé en bas à gauche à l'encre : *Marc Chagall 1955*.

Saint-Paul-de-Vence, collection de l'artiste.

Voir n° 171.

171 (en couleur p. 188)

doc. 72

doc. 73

171
Daphnis et Chloé, 1956

Encre noire à la plume et au pinceau, terre de Roussillon liée à l'œuf, sur papier d'Arches.
1050 × 750
Signé et daté en bas à l'encre noire : *Marc Chagall 1956*.

Expositions :
1969-70, Paris, n° 141 repr. ; 1975, New York, n° 64 repr. ; 1976, Tokyo, n° 83 repr.

Paris, collection Ida Chagall.

La période de Vence est celle d'une peinture de l'éblouissement : lumière violente du Midi français, exubérance de la nature, enthousiasme de l'artiste désormais emporté dans un courant de commandes, d'éditions et de travaux monumentaux sans précédent, que partage entièrement son épouse depuis 1952. Ces quelques grands dessins ont, dans ce

doc. 74

d'animaux, tendant des bouquets en signe d'hommage. Le thème est inversé ici (n° 167), et l'homme se confond avec la branche dans ce grand lavis de 1956. L'alliance des fleurs et de la nature avec le nu remonte aux gouaches de la première période parisienne (*Nu au bras levé* de 1911, par exemple, n° 18).

Le thème des Paradis n'est pas éloigné de ces compositions, par ailleurs tout à fait libérées des conventions de la nature morte ou de celles de la figuration, notamment dans les deux bouquets noirs si forts (n°s 168 et 169).

contexte, le prix de l'intimité mais en même temps autant d'importance que les peintures, les lithographies ou les livres de la même époque.

Le bouquet est tout d'abord le morceau de nature que le peintre fait entrer dans l'atelier : en 1924, déjà, Chagall peignait ces fleurs sur le bord de la fenêtre où est assise Ida (doc. 72) : ni dedans ni dehors, elles sont un lien entre les deux espaces ; il faut relever d'ailleurs à quel point l'association des fleurs et de la fenêtre a évolué dans le travail de Chagall. En 1913, en effet, dans le très important tableau *Paris par la fenêtre*, les fleurs étaient à l'intérieur, un peu accessoires, posées sur une chaise en contrebas (doc. 73). En 1928, elles sont dans les mains d'Ida qui passe à travers le carreau pour les offrir au couple enlacé à l'intérieur de l'atelier imaginaire (doc. 74) ; et l'« offrande » revient souvent dans les titres que Chagall donne à ses œuvres, figures d'anges, de femmes, voire

172
La Famille, 1958

Crayon, encre noire, lavis et rehauts de gouache blanche.
513 × 623
Signé en haut, sur le côté gauche, à l'encre : *Marc Chagall* ; et en bas à droite, à l'encre : *Chagall.*

Saint-Paul-de-Vence, collection de l'artiste.

Les techniques mixtes abondent dans l'œuvre de l'après-guerre ; de même, les reprises de tableaux anciens — ici l'un des Juifs à la Thora — sans que le contexte dans lequel ils avaient pu naître soit ici encore significatif. Plus importante est la source de la lumière dans la composition, qui privilégie tel de ses éléments au choix du peintre : ici la Thora, le visage de l'homme et le couple.

Ces archétypes chagalliens finissent par provoquer entre eux, au hasard de leur juxtaposition, des effets secondaires éminemment poétiques : l'homme tient à droite sa Thora comme l'amant à gauche étreint la femme aimée.

172

173 (en couleur p. 187)

173
Cirque, 1960

Crayons de couleur, encre noire, rehauts de gouache blanche sur papier Chine blanc.
570 × 730
Signé en bas à droite à l'encre : *Marc Chagall.*

Bibliographie :
J. Lassaigne 1968, repr. p. 90-91 (daté 1967).

Saint-Paul-de-Vence, collection de l'artiste.

Les travaux de Chagall sur le Cirque sont très nombreux, et cette œuvre semble néanmoins indépendante : ni préparation d'un tableau, ni projet de tapisserie ou de lithographie, elle se rattache cependant à un petit groupe d'œuvres contemporaines qui témoigne de la même recherche sur les réseaux d'obliques superposés ou mêlés aux figures.

On sait que le sens donné par Chagall au Cirque est d'abord métaphorique : la piste sur laquelle se produisent les artistes est celle du monde où l'homme mène sa vie puis disparaît. « Nous sommes tous du Cirque », aime à dire Chagall. Cette signification fait donc du jeu des acrobates et des clowns, des acteurs, au même titre que des Prophètes dans le monde biblique ou Papageno et Zarastro dans Mozart, un drame universel. Les symboliques peuvent se croiser sans logique apparente, mais dans un même but : le clown sonne-t-il ici le shofar des fêtes juives, celui qui fend les airs en haut à droite est-il un ange biblique, les arbres et les feuillages sont-ils ceux d'un Paradis ? Tous ces sens sont offerts en même temps mais n'occultent jamais l'essentiel : contribuer à la construction des couleurs et des lignes, au réseau à travers lequel filtre ici la lumière du papier blanc.

174
Le Paradis, 1964

Encres noire et de couleurs sur papier d'Arches.
645 × 505
Non signé.

Bibliographie :
J. Lassaigne 1968, repr. p. 87.

Saint-Paul-de-Vence, collection de l'artiste.

174

En même temps qu'il peint le *Message Biblique*, de 1954 à 1967, Chagall dessine, grave ou peint quantité d'œuvres dont la composition lui est déjà donnée par les toiles : cette feuille se rattache au *Paradis* du musée de Nice, avec ses verts et bleus et ses créatures fantastiques. Mais c'est aussi le moment où Chagall travaille à l'Opéra de Paris, au plafond du célèbre édifice ; le personnage principal en a peut-être hérité cette allure dansante ; sa double tête, femme et cheval, rappelle les monstres de *L'Oiseau de feu*, la forêt un espace abstrait et mystérieux.

175
Vava, 1964

Crayon, encre de Chine, lavis de gris et gouache sur papier d'Arches crème.
764 × 565
Signé en bas à droite à l'encre : *Vava Marc Chagall.*
Au dos : *Pour Vava Marc Chagall 1964.*

Saint-Paul-de-Vence, collection de l'artiste.

Chagall avait commencé en 1953 et achevé en 1956 un portrait de son épouse (F. Meyer 1964, cat. ill. 949) dans lequel les fleurs étaient déjà associées à la femme aimée. La mise en page audacieuse de la figure — inclinée à trente degrés vers la droite, lui conférait une grâce un peu étrange, provoquait ce choc poétique si recherché par l'artiste.

Ici, il use plutôt d'une écriture large et rapide, pour susciter le mouvement des bras, faire entrer la figure dans la feuille, et donne au visage appuyé sur la main un caractère pensif, un air de rêver aux fleurs et aux fruits qui l'entourent.

175

176

176
Maquette de décor pour le 2e acte de Daphnis et Chloé, 1958

Aquarelle, gouache et papier collé sur papier Canson.
560 × 790
Non signé.

Bibliographie :
J. Lassaigne 1969, repr. p. 132-133.

Expositions :
1967, Toulouse, n° 145.

Saint-Paul-de-Vence, collection de l'artiste.

Voir n° 177.

177
Maquette de décor pour le 3e acte de Daphnis et Chloé, 1958

Crayon, aquarelle, gouache, papiers de couleur et papier d'argent collés, sur papier Canson.
570 × 785
Non signé.

Bibliographie :
J. Lassaigne 1969, repr. p. 140-141.

Expositions :
1967, Toulouse, n° 146.

Saint-Paul-de-Vence, collection de l'artiste.

Le ballet de Ravel monté en 1958 dans ses décors convenait parfaitement au peintre, devenu méditerranéen. Il avait pu, au cours de deux voyages en Grèce, en 1952 et 1954, se pénétrer de la lumière et de l'atmosphère des îles. En 1958 est achevé également l'ouvrage commandé par Tériade sur le même sujet. Aussi les lithographies et le décor entretiennent-ils des liens visibles.

Daphnis et Chloé est le premier spectacle monté par Chagall en France. D'emblée, c'est l'Opéra qui l'emploie, la rumeur des précédents américains et leur succès triomphal étant parvenue jusqu'au cœur de Paris. Le spectacle sera donné à nouveau en 1964, lors de l'inauguration du plafond de Chagall à l'Opéra, par André Malraux.

La mer est constamment présente dans les toiles gigantesques que ces esquisses préparent : au-delà des figures et des paysages, c'est donc bien le phénomène de réflexion du ciel

177

178 (en couleur p. 189)

dans l'eau, le miroir des choses, qui intéresse Chagall. L'anecdote, et en particulier l'architecture antique des temples, lui est, en revanche, indifférente, nullement nécessaire au déroulement du poème de Longus. Néanmoins, la Grèce de Chagall n'est pas une Grèce de fantaisie, mais bien un pays de lumière et de transparence : toutes les maquettes de l'artiste s'attachent à les faire naître.

Chagall, pour la première fois dans ces œuvres d'après-guerre, renoue avec la technique du collage qu'il avait abandonnée depuis les années 20 (voir notre n° 72). A la même époque, le *Message Biblique* est composé de façon identique. Mais, à la façon de Matisse, il s'agit cette fois-ci de morceaux de papier peints par lui-même, déchirés et collés. Ces fragments tiennent cependant peu de place dans la composition où la recherche de la vibration occupe principalement l'artiste.

178
Maquette de costume pour Phileton dans Daphnis et Chloé, 1958

Crayon, aquarelle et pastel sur papier Canson gris.
380 × 265
Non signé.
Au dos, mention au crayon : *Daphnis.*

Bibliographie :
J. Lassaigne 1969, repr. p. 117.

Saint-Paul-de-Vence, collection de l'artiste.

Voir n° 179.

179

179
Maquette de costume pour Phileton dans Daphnis et Chloé, 1958

Crayon et aquarelle sur papier Canson gris.
390 × 265
Au dos, *Chagall*.

Bibliographie :
J. Lassaigne 1969, repr. p. 116.

Saint-Paul-de-Vence, collection de l'artiste.

Chagall a toujours prêté une attention considérable à ses costumes de scène, prenant soin de les peindre lui-même jusqu'à la dernière minute, afin de mieux les intégrer à la peinture qui formait le fond de scène. Un détail de la seconde maquette, les feuillages accrochés aux épaules du danseur, montrent à quel point l'artiste cherche à obtenir un mouvement, une palpitation autour du personnage, à rendre ses limites dans l'espace aussi incertaines que possible. La technique même de ces deux dessins aide à créer cette incertitude et l'on peut rêver de ces personnages comme d'apparitions, à la fois humoristiques et infiniment poétiques.

180
Maquette de décor pour La Flûte enchantée, 1967 (toile de fond pour l'acte II, scènes 1,2,4,8)

Crayon, encre noire, gouache, collage de papier doré et argenté sur papier d'Arches.
558 × 743
Non signé.

180
(en couleur p. 190)

Autres mentions :
RECTO, au crayon, en haut à gauche, en anglais : *Reste la toile de fond pour II, 2,4,5 à l'acte II, 5 avec 3 colonnes uniques.* Au centre, en russe : *toile de fond.* A droite, en russe : *Pyramides dans la lumière de nuit.* Dans la marge à gauche, en russe : *idem.* Dans la marge à droite : inscriptions illisibles. En bas à gauche : *II, 1,5,7.* Au centre, en russe : *masques,* et à droite : *échelle 1|2 pouce.*
VERSO, au crayon : *Pyramides 45,5 × 63,5.*

Bibliographie :
E. Genauer 1971, p. 108-109.

Saint-Paul-de-Vence, collection de l'artiste.

Voir n° 181.

181
Maquette de décor pour La Flûte enchantée, 1967
(toile de fond pour le final)

Crayon, gouache, encre de Chine, collage de papier imprimé en couleur, de papier argenté et doré et collage de tissus sur papier fort crème (Arches) ; traces de papier collant sur les bords.
551 × 742
Non signé.
Autres mentions :
RECTO, mention sur le dessin, au crayon, en haut à droite : *II (Prospekt 7)* ; en bas à gauche : *II, 10* ; en bas à droite : *Act. II sc. II scène 1|2 incl.*
VERSO, en bas à droite au crayon : *Finale 52 × 71.*

Bibliographie :
E. Genauer 1971, repr. p. 140-141.

Saint-Paul-de-Vence, collection de l'artiste.

La Flûte enchantée fut montée pour l'ouverture du nouveau Metropolitan Opera du Lincoln Center à New York en 1967. Les Américains avaient en effet déjà demandé à Chagall de peindre les grands panneaux qui se trouvent au foyer, de part et d'autre de l'escalier, et d'en concevoir les thèmes : les *Sources de la musique* et le *Triomphe de la musique,* préparés par de grands dessins au crayon puis à la gouache, représentent une contribution importante de l'artiste à son œuvre monumental.

La Flûte enchantée est en même temps le moment où Chagall retrouve Mozart, son musicien préféré, celui avec lequel il s'accorde le mieux, en reconnaissant dans sa musique l'alliance de la plus grande force et de la plus grande tendresse. A nouveau, le problème de l'archéologie, comme pour *Daphnis et Chloé* dix ans plus tôt, se posait de façon aiguë à Chagall : il le résolut en prenant le parti de suivre le récit pas à pas, tout en utilisant ses propres figures pour accompagner la musique.

Les deux décors montrés ici sont, chacun à sa manière, des œuvres où l'efficacité visuelle le dispute à la plus grande invention : les pyramides de guingois, les figures égyptiennes renversées prennent Mozart au sérieux, mais moins Zarastro (n° 180). Pour le final (n° 181), l'humour cède la place au rythme et à la couleur. Les cercles entraînent une théorie de personnages et de musiciens autour du même Zarastro, juché sur une estrade. Le collage est encore de mise (voir notre n° 177) et forme avec les feuillages des éléments de vibration essentiels à l'irradiation de la lumière.

181

182

182
**Esquisse pour le Message Biblique :
Noé et l'arc-en-ciel, 1954-67**

Fusain et encre noire sur papier-carton.
460 × 610
Signé en bas à droite au fusain : *Chagall.*

Bibliographie :
Le Message Biblique, catalogue de la collection permanente, p. 108, n° 115.

Nice, Musée national Message Biblique Marc Chagall.

Voir n° 186.

183

183
**Esquisse pour le Message Biblique :
Cantique des Cantiques I, 1954-67**

Encre noire et crayons de couleur.
285 × 380
Signé en bas à droite à l'encre : *Chagall.*

Bibliographie :
Le Message Biblique, catalogue de la collection permanente, p. 133, n° 200.

Nice, Musée national Message Biblique Marc Chagall.

Voir n° 186.

184

184
**Esquisse pour le Message Biblique :
Cantique des Cantiques II, 1957**

Crayon, encre noire et lavis sur papier blanc.
500 × 650
Signé en bas à droite à l'encre : *Marc Chagall.*

Bibliographie :
Le Message Biblique, catalogue de la collection permanente, p. 136, n° 213.

Nice, Musée national Message Biblique Marc Chagall.

Voir n° 186.

185

185
Esquisse pour le Message Biblique : Cantique des Cantiques IV, 1954-67

Encre noire et huile sur papier.
475 × 560
Signé en bas à gauche à l'encre : *Chagall*.

Bibliographie :
Le Message Biblique, catalogue de la collection permanente, p. 143, n° 238.

Nice, Musée national Message Biblique Marc Chagall.

Voir n° 186.

186
Esquisse pour le Message Biblique : Cantique des Cantiques V, 1954-67

Pastel sur papier.
320 × 485
Signé en bas à droite à l'encre : *Chagall*.

Bibliographie :
Le Message Biblique, catalogue de la collection permanente, p. 150, n° 254.

Nice, Musée national Message Biblique Marc Chagall.

L'ensemble des esquisses pour le *Message Biblique*, conservé à Nice au musée national, compte une majorité d'œuvres sur papier et constitue un ensemble de dessins d'une exceptionnelle diversité. Nous en avons tiré cinq exemples qui en sont très représentatifs : à l'égard des supports, tout d'abord, avec ce papier-carton très fruste (n° 182) ou le vergé délicat du présent numéro ; à l'égard des techniques employées, fusain, pastel, crayon, encre, huile, etc.

Cette diversité vient partiellement de l'étalement de la préparation du *Message Biblique* dans le temps : treize années de travail, de 1954 à 1967, au cours desquelles Chagall passe d'une esquisse pour ce cycle à une tout autre création ; diversité aussi parce que Chagall adore essayer un nouveau médium, ce qui donne à ces œuvres une qualité intrinsèque de recherche, indépendante de la suite donnée en peinture à ces feuilles, fragiles mais si fortes. La plus étonnante est sans nul doute le n° 185, où Chagall s'est représenté en dehors du tableau mais néanmoins dans la feuille. Le portrait de Chagall, l'un des rares que nous puissions montrer pour cette époque, est d'une agressivité surprenante. Le n° 183 s'apparente au style « en réseau » du peintre (voir notre n° 173) et constitue vraiment une étude de construction poussée, avec un simple rose ajouté au trait noir, pour annoncer la tonalité générale du tableau futur.

186

187
Crucifixion, 1972

Encre noire, pastel et crayons de couleur sur Japon nacré.
767 × 574
Non signé.

Saint-Paul-de-Vence, collection de l'artiste.

Dans le catalogue que tient l'artiste de ses œuvres sur papier, cette grande feuille est notée : *1972, Sils Maria*. Elle a été dessinée au cours d'un séjour que Chagall fit avec son épouse dans la station suisse. Les journées d'hôtel qu'ils y passèrent furent, comme lors de tous les déplacements de l'artiste, l'occasion de créer des dessins puisque l'atelier n'offrait plus les commodités de travail nécessaires à la peinture. Les années récentes de sa vie sont ainsi jalonnées d'œuvres faites à Paris, à Chicago, à New York ou en Suisse, au hasard des voyages qu'il fit pour assister à des inaugurations, ou réaliser des commandes monumentales.

Cette *Crucifixion* reprend les thèmes de prédilection de 1939-45 et des formes précédentes. Le pastel permet cette facture très vibrante, et en même temps très peinte. Les hachures, à la façon des traces d'un peigne, correspondent à un procédé ancien puisque Chagall l'employait déjà dans une huile de 1919, *N'importe où hors du monde* (collection Culberg, Chicago, F. Meyer 1964, p. 306).

187   (en couleur p. 191)

188

188
Paysan à la Thora, 1974

Gouache sur lithographie tirée sur papier d'Arches.
601 × 403
Non signé. En bas à gauche : *CH* ?

Saint-Paul-de-Vence, collection de l'artiste.

Chagall a repris ici une lithographie à la gouache, rendant une matière palpable à la feuille imprimée, dont la matière est utilisée comme base d'une nouvelle couleur. Le procédé — dont Chagall a très rarement usé — dit à la fois la rapidité avec laquelle l'artiste aime à travailler, mais aussi le besoin qu'il a d'une forme déjà définie, pour composer à partir d'elle une variation.

189

190
Le Cirque, 1977

Encre noire, lavis, rehaut de gouache sur papier d'Arches.
565 × 680
Signé en bas à gauche à l'encre : *Marc Chagall.*

Expositions :
1977, Lucerne, repr.

Saint-Paul-de-Vence, collection de l'artiste.

Ce dessin (daté 1977 au catalogue de l'artiste) ainsi que le précédent renvoient au thème du cirque. Le second est peut-être plus clair que le premier à cet égard : au-dessus de la piste du cirque luit une pendule, qui peut être aussi bien lune ou soleil que projecteur de théâtre. Dans les deux compositions, les créatures faites de la moitié d'un homme et de celle d'un animal sont traditionnelles ; les systèmes de lumière sont, en revanche, opposés : le pastel de 1976 (datation au catalogue de l'artiste) est percé d'un brun-noir profond, tandis que le centre de cette feuille, qui n'est autre que la piste du cirque, irradie de lumière.

189
Le Coq violoniste, 1976

Encre noire et pastel sur papier vergé gris.
295 × 433
Non signé.

Saint-Paul-de-Vence, collection de l'artiste.

Voir n° 190.

190

191
La Rue du village, 1977

Crayon, encre noire et lavis de gris sur papier d'Arches.
774 × 575
Signé en bas à droite à l'encre : *Marc Chagall 1977.*

Expositions :
1977, Lucerne, dernière page (sous le titre *L'Eclair*)

Saint-Paul-de-Vence, collection de l'artiste.

Un groupe de peintures contemporaines de ce dessin signale le
sens des recherches de Chagall sur une structure encore différente à donner à la couleur : deux parties bien séparées par
une fracture, qui révèle ici le papier blanc et peut être la ligne
d'horizon, celle qui lie et sépare à la fois le ciel — où évoluent
les créatures poétiques — et la terre, où fuit la rue sombre du
village.

192

193 (en couleur p. 192)

194

192
Souvenir du cirque, 1977-78

Crayon noir et crayons de couleurs sur papier Japon blanc.
520 × 335
Non signé.

Saint-Paul-de-Vence, collection de l'artiste.

Chagall pratique énormément le pastel, dès 1950. La plupart des esquisses du *Message Biblique,* par exemple, ont été faites dans cette technique rapide et très vibrante : le trait dur, que Chagall n'aime pas, devient ici moelleux et incertain ; il crée à lui seul déjà une palpitation avec le grain du papier, et l'on voit bien ici comment, pour rendre ses créatures encore plus incertaines, il double ou triple leur contour.

193
Fête au village, 1980

Crayon noir et sanguine sur papier nacré.
679 × 525
Signé en bas à droite à l'encre : *1980 Chagall.*

Saint-Paul-de-Vence, collection de l'artiste.

Le pastel est ici la technique choisie, mais dans le refus de la couleur, en quelque sorte : Chagall compose une monochro-

195

mie qui accuse encore la construction dispersée de l'œuvre. Les personnages — tous devenus des archétypes du monde chagallien — sont répartis en un savant équilibre et animent la feuille d'une vie qui doit plus à l'art du peintre qu'à la fête ou à la musique, non pas décrites ou représentées mais rendues, par la vertu de la touche, son équivalent poétique.

194
Le Roi David, 1979

Encre noire et lavis de gris sur Canson blanc.
999 × 749
Non signé.

Saint-Paul-de-Vence, collection de l'artiste.

Voir n° 201.

195
La Noce, 1979

Encre noire, lavis de gris sur papier d'Arches blanc.
1015 × 682
Signé en bas à droite à l'encre : *Chagall Marc 1979.*

Expositions :
1982, New York, n° 8.

Saint-Paul-de-Vence, collection de l'artiste.

Voir n° 201.

196

197

210   France 1946

196

Le Peintre au grand soleil, 1979

Encre noire, lavis de gris et fusain sur papier Canson blanc.
1048 × 1491
Signé en bas à droite à l'encre : *Chagall.*

Expositions :
1982, New York, n° 5.

Saint-Paul-de-Vence, collection de l'artiste.

Voir n° 201.

198

Jérusalem, 1979

Encre noire, lavis de gris et fusain sur papier Canson blanc.
998 × 1488
Signé en bas à droite à l'encre : *Chagall.*

Saint-Paul-de-Vence, collection de l'artiste.

Voir n° 201.

197

Le Départ, 1979

Encre noire, lavis de gris et fusain sur papier Canson blanc.
999 × 1492
Signé en bas à droite à l'encre : *Marc Chagall 1979.*

Expositions :
1982, New York, n° 2.

Saint-Paul-de-Vence, collection de l'artiste.

Voir n° 201.

198

199

200

212   France 1946

199
Jérémie, 1979

Encre de Chine, lavis de gris sur papier Canson blanc.
746 × 999
Non signé.

Saint-Paul-de-Vence, collection de l'artiste.

Voir n° 201.

200
Cirque, 1983

Encre noire et lavis de gris sur papier Canson blanc.
1037 × 1433
Non signé.

Saint-Paul-de-Vence, collection de l'artiste.

Voir n° 201.

201
Dans le ciel, 1983

Encre noire et lavis de gris sur papier Canson blanc.
1000 × 1490
Signé en bas à droite à l'encre : *Chagall 1983.*

Saint-Paul-de-Vence, collection de l'artiste.

Chagall donne à Pierre Matisse, chaque année, une série de gouaches pour qu'elles soient exposées à New York dans sa galerie : en 1982 apparaissaient de façon peut-être inattendue ces grands lavis transparents, œuvres importantes par le rapport très libre qu'elles entretiennent avec la peinture et par l'intelligence du support. Le terme anglais de « wash drawings », qui faisait aussi le titre de l'exposition à New York, semble parfaitement adapté à ces apparitions légères, comme derrière un rideau de pluie. Bibliques, elles reprennent des compositions des années 60-70, mais avec tant d'habitude qu'on ne peut plus prêter attention à ces citations ; poétiques, elles déploient les grands paysages mythiques de Paris ou de Jérusalem, dans une sérénité communiquée à la matière même.

201

Liste des documents reproduits dans le catalogue

Vitebsk 1907-1910 :

1 Marc Chagall : Illustration pour la revue *Schtrom*, 1920, dessin, Paris, collection particulière.

2 Marc Chagall : *Le Bain rituel*, vers 1910, dessin, Jérusalem, The Israël Museum.

3 Marc Chagall : *Le Mort*, 1908, huile sur toile, France, collection particulière en 1964.

4 Marc Chagall : *Le Mariage*, 1909, huile sur toile, Zurich, Fondation E.G. Bührle.

Sous le numéro 1 :

5 Marc Chagall : *Femme à la corbeille*, 1906-07, huile sur carton, Moscou, collection particulière en 1964.

6 Marc Chagall : *Amour*, 1907, dessin, France, collection particulière en 1964.

Paris 1910-1914 :

7 Marc Chagall : *Dédié à ma fiancée*, 1911, huile sur toile, Berne, Kunstmuseum.

8 Marc Chagall : *Femme couchée*, 1910, dessin, Cologne, Wallraf-Richartz Museum.

9 Marc Chagall : *Rue le soir*, 1914, dessin, Autriche, collection particulière en 1964.

10 Marc Chagall : *Le Saoul*, 1913, dessin.

Sous le numéro 12 :

11 Marc Chagall : *Autoportrait aux sept doigts*, 1914, huile sur toile, Amsterdam, Stedelijk Museum.

Sous le numéro 16 :

12 Marc Chagall : *David et Bethsabée*, lithographie, Nice, Musée national Message Biblique Marc Chagall.

Sous le numéro 18 :

13 Giorgione : *Vénus endormie*, huile sur toile, Dresde, Gemäldegalerie Altemeister.

14 Marc Chagall : *Cantique des Cantiques II*, 1954-67, huile sur toile, Nice, Musée national Message Biblique Marc Chagall.

Sous le numéro 26 :

15 Marc Chagall : *La Cuillerée de lait*, 1912, gouache, Bâle, collection R.F.T. Dr Paul Hänggi en 1964.

Sous le numéro 31 :

16 Marc Chagall : *Adam et Eve*, étude pour l'*Hommage à Apollinaire*, 1912, gouache, Londres, collection Mme Donald Ogden Stewart en 1964.

Sous le numéro 32 :

17 Marc Chagall : *Adam et Eve*, étude pour l'*Hommage à Apollinaire*, 1912, dessin, Saint-Paul-de-Vence, collection de l'artiste.

18 Marc Chagall : *Adam et Eve*, dit *Hommage à Apollinaire*, 1912, huile sur toile, Eindhoven, Stedelijk Van Abbe Museum.

Sous le numéro 34 :

19 Marc Chagall : *Le Poète ou Half Past Three*, 1911, huile sur toile, Philadelphie, Philadelphia Museum of Art.

Sous le numéro 35 :

20 Marc Chagall : *Golgotha*, 1912, huile sur toile, New York, The Museum of Modern Art.

21 Marc Chagall : *La Crucifixion*, 1909-10, dessin.

22 Marc Chagall : *Esquisse pour Golgotha*, 1912 (revers de notre nº 31), New York, collection Hans S. Edersheim.

Sous le numéro 37 :

23 Anonyme russe, 16ᵉ siècle : *Mère de Dieu du Signe*, panneau.

Sous le numéro 38 :

24 Marc Chagall : *La Femme enceinte* ou *Maternité*, 1913, huile sur toile, Amsterdam, Stedelijk Museum.

Russie 1914-1922 :

25 Marc Chagall : *Rue à Vitebsk*, 1914, dessin, Léningrad, Musée d'Etat Russe.

26 Marc Chagall : *La Gare de chemin de fer*, 1914, dessin, Léningrad, Musée d'Etat Russe.

27 Marc Chagall : *La Guerre*, 1914, dessin, Krasnodar, Musée Lounatcharsky.

28 Marc Chagall : *L'Homme au chien*, 1914-15, dessin.

29 Marc Chagall : *Portrait de Baal Mashshowess Eliacheff*, 1918, dessin, Jérusalem, The Israël Museum.

Sous le numéro 40 :

30 Marc Chagall : *Le Marchand de journaux*, 1914, huile sur toile, Paris, Musée national d'art moderne (don avec usufruit, 1984).

31 Marc Chagall : *La Mère*, 1914, dessin, Saint-Paul-de-Vence, collection de l'artiste.

Sous le numéro 42 :

32 Marc Chagall : *Autoportrait au sourire*, 1924-25, pointe sèche.

33 Marc Chagall : *Double Portrait au verre de vin* (détail), 1917, huile sur toile, Paris, Musée national d'art moderne.

Sous le numéro 43 :

34 Marc Chagall : *David*, 1914, huile sur carton, Léningrad, collection particulière en 1964.

Sous le numéro 44 :

35 Marc Chagall : *Autoportrait avec les parents de profil*, 1911, dessin, Saint-Paul-de-Vence, collection de l'artiste.

36 Marc Chagall : *Autoportrait à la grimace*, 1924-25, aquatinte.

Sous le numéro 45 :

37 Marc Chagall : *Double Portrait au verre de vin*, 1917, huile sur toile, Paris, Musée national d'art moderne.

Sous le numéro 48 :

38 Marc Chagall : *Soldats*, 1912, gouache, Londres, collection Eric Estorick en 1964.

39 Marc Chagall : Les *Vieillards*, 1914-15, dessin.

Sous le numéro 52 :

40 Marc Chagall : Page de titre pour les deux contes de Nister, Léningrad, Musée d'Etat Russe.

41 Marc Chagall : Illustration pour le conte de Nister : « Avec le coq », Léningrad, Musée d'Etat russe.

Sous le numéro 53 :

42 Marc Chagall : Esquisse pour *Le Poète*, 1911, dessin, Moscou, galerie Tretiakov.

43 Marc Chagall : Couverture pour le livre d'Abraham Efross et J. Tugendhold : *L'Art de Marc Chagall*, dessin, Moscou, galerie Tretiakov.

Sous le numéro 54 :

44 Marc Chagall : *Le Saint Voiturier*, 1911-12, huile sur toile, Krefeld, collection particulière en 1964 (sens voulu par l'artiste).

45   Marc Chagall : *Le Saint Voiturier*
(présentation désormais traditionnelle, dans le
sens imaginé par Walden en 1914).

Sous le numéro 68 :

46   Revers de *L'Homme à la lampe.*

47   Le Tintoret : *Dieu créant les animaux*, Venise,
Académie.

Sous le numéro 72 :

48   *Portrait d'homme* (revers du n° 72).

Sous le numéro 75 :

49   Marc Chagall : *L'Amour sur la scène*,
1920-21, huile sur toile, Moscou, galerie
Tretiakov.

50   Marc Chagall : Esquisse pour le rideau du
Théâtre d'Art juif, 1920, dessin,
Saint-Paul-de-Vence, collection de l'artiste.

Sous le numéro 77 :

51   Marc Chagall : *Le Théâtre*, peinture murale
pour le *Théâtre d'Art juif*, 1920-21, huile sur
toile, Moscou, galerie Tretiakov.

52   Marc Chagall : *La Danse*, peinture murale
pour le *Théâtre d'Art juif*, 1920-21, huile sur
toile, Moscou, galerie Tretiakov.

53   Marc Chagall : *La Musique*, peinture murale
pour le *Théâtre d'Art juif*, 1920-21, huile sur
toile, Moscou, galerie Tretiakov.

54   Marc Chagall : *La Littérature*, peinture
murale pour le *Théâtre d'Art juif*, 1920-21, huile
sur toile, Moscou, galerie Tretiakov.

Sous le numéro 79 :

55   Photographie d'une scène de la pièce *Les
Agents* par le *Théâtre d'Art juif*, dans le décor de
Marc Chagall.

France 1923-1941 :

56   Marc Chagall : *Gogol, les Ames Mortes,
L'Auberge*, 1923, gouache, Israël, collection
particulière.

Sous le numéro 100 :

57   Marc Chagall : *La Prisée*, 1912, huile sur
toile, Krefeld, collection particulière en 1964.

Sous le numéro 105 :

58   Marc Chagall : *La Révolution*, 1937, huile
sur toile (tableau coupé par l'artiste en trois
nouvelles peintures).

Sous le numéro 106 :

59   Marc Chagall : *La Crucifixion blanche*, 1938,
huile sur toile, Chicago, The Art Institute.

60   Rembrandt : *Les Trois Croix*, gravure (4e
état), Bibliothèque Nationale.

Sous le numéro 107 :

61   Le Titien : *Descente de croix*, huile sur toile,
Paris, Musée du Louvre.

Etats-Unis 1941-1946 :

62   Marc Chagall : *Le Cheval ailé*, 1943, dessin.

63   Marc Chagall : *Portrait de Stravinsky*,
1945-46, Saint-Paul-de-Vence, collection de
l'artiste.

Sous le numéro 129 :

64   Marc Chagall : *La Crucifixion en jaune*, 1943,
huile sur toile, Saint-Paul-de-Vence, collection
de l'artiste.

Sous le numéro 140 :

65   Marc Chagall : *L'Anniversaire*, 1915, huile
sur carton, New York, The Museum of Modern
Art.

Sous le numéro 142 :

66   Marc Chagall : *Cantique des Cantiques III*,
vers 1960, huile sur toile, Nice, Musée national
Message Biblique Marc Chagall.

France 1946 :

67   Marc Chagall : *Aaron*, 1931, gouache, Nice,
Musée national Message Biblique Marc Chagall.

Sous le numéro 164 :

68   Marc Chagall : *L'Exode*, 1952-66, huile sur
toile, Saint-Paul-de-Vence, collection de l'artiste.

69   Rembrandt : *La Lutte de Jacob et de l'Ange*,
huile sur toile, Berlin, Musée de Dahlem.

70   Delacroix : *La Lutte de Jacob et de l'Ange*,
huile sur toile, Paris, église Saint-Sulpice.

71   Marc Chagall : *La Lutte de Jacob et de l'Ange*,
huile sur toile, Nice, Musée national Message
Biblique Marc Chagall.

Sous le numéro 171 :

72   Marc Chagall : *Ida à la fenêtre*, 1924, huile
sur toile, Amsterdam, Stedelijk Museum.

73   Marc Chagall : *Paris par la fenêtre*, 1913,
huile sur toile, New York, The Solomon R.
Guggenheim Museum.

74   Marc Chagall : *Les Mariés de la Tour Eiffel*,
1928, huile sur toile, Paris, collection M. Roncey
en 1964.

En outre, certains documents ne concernent que
le numéro où ils figurent et n'ont donc pas été
numérotés. On les a signalés par la mention
dans le texte : « voir doc. ci-contre ». Ce sont :

Sous le numéro 1 :

Revers de la feuille, *Portrait d'enfant en pied.*

Sous le numéro 32 :

Revers de la feuille, deux esquisses pour un
Buveur et une *Naissance.*

Sous le numéro 34 :

Apollinaire et Chagall, 1910-11 ?, gouache.
Apollinaire, 1911, dessin, Saint-Paul-de-Vence,
collection de l'artiste.

Sous le numéro 100 :

Etude pour *La Prisée*, aquarelle, Worcester,
Massachussets, The Dial Museum of Art.

Sous le numéro 130 :

Portrait de Bella ?

La présente bibliographie ne comprend que les ouvrages auxquels il est fait référence dans le catalogue. On pourra se reporter, pour une bibliographie exhaustive de l'œuvre complet de Chagall, au livre de F. Meyer (1964) et à celui de Charles Sorlier et Werner Schmalenbach, Paris, 1979.

Aslan Odette
« Le Dibbouk » d'An-ski et la réalisation de Vakhtangov, in : *Les Voies de la création théâtrale*, vol. VII, La mise en scène des années 20 et 30, Paris, 1979.

Breton André
Le Surréalisme et la Peinture, suivi de *Genèse et Perspectives artistiques du surréalisme* et de *Fragments inédits*, New York, 1945.

Chagall Bella
Lumières allumées, Paris, 1973.

Chagall Marc
Ma vie, 1re édition, Paris, 1931 ; 2e édition, Paris, 1957.

Genauer Emily
Chagall at the Met, New York, 1971.

Haftmann Werner
Marc Chagall, Paris, 1972.

Haftmann Werner
Chagall : Gouachen, Zeichnungen, Aquarelle, Cologne, 1975.

Kornfeld Eberhard W.
Verzeichnis der Kupferstiche Radierungen und Holzschnitte von Marc Chagall, Band I : Werke 1922-1966, Berne, 1970.

Lassaigne Jacques
Marc Chagall, Dessins inédits, Genève, 1968.

Lassaigne Jacques
Marc Chagall et le ballet, Paris, 1969.

Lifar Serge
Histoire du ballet, Paris, 1966.

Marq Charles, Provoyeur Pierre
Musée national Message Biblique Marc Chagall, catalogue de la collection permanente, Paris, 1973.

Meyer Franz
Marc Chagall, Cologne, 1961 ; Paris, 1964.

Provoyeur Pierre
Le Message Biblique, Paris (Milan, Cologne), 1983.

Schneider Pierre
Les Dialogues du Louvre, Paris, 1967.

Sorlier Charles, Schmalenbach Werner
Marc Chagall, Paris, 1979.

Walden Nell, Schreyer Lothar
Der Sturm : Ein Erinnerungsbuch an Herwarth Walden und die Künstler aus den Sturmkreis, Baden Baden, 1954.

Werner Alfred
Chagall Watercolors and Gouaches, New York, 1970 ; New York, 1977.

La liste des expositions ne reprend que les expositions les plus importantes.

1953

L'Opera di Marc Chagall · Dipinti · Guazzi · Acquerelli · Disegni · Sculture · Ceramiche · Incisioni, Turin, Museo Civico, Palazzo Madama.

1959

Marc Chagall, Hambourg, Kunstverein.
Die Französische Zeichnung des 20. Jahrhunderts, Hambourg, Kunsthalle.
Marc Chagall, Munich, Haus der Kunst.
Marc Chagall, Paris, Musée des Arts Décoratifs.

1960

Marc Chagall · Gouachen, Aquarelle, Zeichnungen 1911 bis 1959 · Lithographien 1959 bis 1960, Berne, Klipstein et Kornfeld.

1962

Stravinsky et la danse, New York, galerie Wildenstein.

1966

19th and 20th Century Masters, Londres, Marlborough Fine Art Ltd.

1967

Marc Chagall, Werke aus sechs Jahrzehnten, Cologne, Wallraf-Richartz Museum.
Chagall et le théâtre, Toulouse, Musée des Augustins.

1969-70

Hommage à Marc Chagall, Paris, Galeries nationales du Grand Palais.

1973

Hommage à Tériade, Paris, Galeries nationales du Grand Palais.

1974

Marc Chagall, l'œuvre monumental, Nice, Musée national Message Biblique Marc Chagall.

1975

Moderne Kunst aus der Sammlung Thyssen-Bornemisza, Brême, Kunsthalle.
Maestri europei del XX secolo dalle collezioni d'arte private ticinesi, Lugano, Rassegna internazionale delle arti e della cultura, Villa Malpensata.
Marc Chagall Work on Paper-Selected Masterpieces, New York, The Solomon R. Guggenheim Museum.

1976

Marc Chagall, Tokyo, Musée national d'art moderne ; Kyoto, Musée municipal ; Nagoya, Musée préfectoral d'Aichi ; Kumamoto, Musée préfectoral.
The Origin of the 20th Century in the Collection Thyssen-Bornemisza, Tokyo, Seibu Museum of Art ; Kobe, Hyogo Prefectural Museum ; Fikuoka, Kitakyushu Municipal Museum.

1977

La Collection Thyssen-Bornemisza · Tableaux modernes, Bruxelles, Musée d'Ixelles.
Hommage à Marc Chagall pour son 80e anniversaire, Chagall noir et blanc, Lucerne, galerie Rosengart.
Marc Chagall, Peintures Bibliques récentes, 1966-1976, Nice, Musée national Message Biblique Marc Chagall.

1978

La Collection Thyssen-Bornemisza · Tableaux modernes, Paris, Musée d'Art moderne de la Ville de Paris.

1982

Marc Chagall, Wash Drawings, New York, galerie Pierre Matisse.
Marc Chagall, Stockholm, Moderna Museet.

Crédits photographiques

Edimages, Paris
Jacques Faujour, Paris
Giraudon, Paris
The Israël Museum, Jérusalem
Peter Lauri, Berne
Los Angeles County Museum of Art, Los Angeles
Musée national d'art moderne, Centre Georges Pompidou, Paris
The Museum of Modern Art, New York
Réunion des musées nationaux, Services photographiques, Paris
Adam Rzepka, Paris
Solomon R. Guggenheim Museum, New York
Christopher Thomas, New York
Jann & John F. Thomson, Los Angeles
Collection Thyssen Bornemisza, Lugano
Roger Viollet, Paris

Les sources de certains documents n'ont pu être identifiées, nous prions les éventuels auteurs de bien vouloir nous en excuser.

Photogravure couleur :
Clair-Offset, Paris

Composition, photogravure noire :
Imprimerie Centrale Commerciale, Paris

Achevé d'imprimer le 22 juin 1984 sur les presses
de l'Imprimerie Centrale Commerciale, Paris

Dépôt légal : juin 1984